彩图版李毓佩数学故事系列

数学动物园（彩图版）

李毓佩 著

湖北长江出版集团 湖北少年儿童出版社
HUBEI CHILDREN'S PRESS

目录

目录

数学动物园

目录

数学动物园

李毓佩数学故事系列

独眼小狼王

LI
YU
PEI
SHU
XUE
GU
SHI
XI
LIE

狐狸算卦
HULISUANGUA

小熊和狐狸是邻居。一天，小熊兴冲冲地跑来告诉狐狸，他发现一大块猎人吃剩下的冻鹿肉，明天一早他就要把鹿肉取回来。

狐狸一听说鹿肉，眼珠在眼眶里飞快地转了一圈，舌头在嘴边上舔了一遍，然后一本正经地说："明天？我来给你算一卦吧，看看明天去有没有危险。"

小熊满不在乎地说："哪会有什么危险。"

狐狸凑近小熊悄声说："你敢保证不是猎人设下的圈套？"

"哎呀,照你这么说,我差点上了当!"小熊催促狐狸说,"你快给我算一卦吧!"

"你是哪年、哪月、哪日生的呀?"狐狸的嘴角露出了一丝微笑。

小熊说:"我是 1995 年 1 月 1 日生的。"

狐狸倒背双手走了两步说:"被猎人打死的那只鹿我认识,他叫波西。波西是 1985 年 1 月 2 日生的。啊,你俩有缘分啊!"

狐狸在地上边写边说:"把你们出生的年、月、日各自相加:

	波西生日		小熊生日
	1 9 8 5		1 9 9 5
	1		1
+	2	+	1
	1 9 8 8		1 9 9 7

然后把和的各位数字相加:

	波 西		小 熊
	1		1
	9		9
	8		9
+	8	+	7
	2 6		2 6

你看,最后都得 26 。"

"真的!"小熊被狐狸魔术般的演算惊呆了。

狐狸拍了拍小熊的肩头，认真地说："这个结果说明，你和波西同命运共祸福啊！"

小熊紧张地问："你说明天我去取鹿肉会有危险吗？"

狐狸掰着指头数了数说："波西是 2002 年 12 月 1 日被猎人打死的，明天是 2003 年 1 月 11 日，你用上面的方法再算一遍，如果最后结果相同，你明天去取鹿肉必死无疑；如果答案不一样，我保证你明天取肉不会有问题。"

"我来算算。"小熊赶紧趴在地上算了起来：

波西死日　　　　　相加

$$
\begin{array}{r}
2002 \\
12 \\
+\quad 1 \\
\hline
2015
\end{array}
\qquad
\begin{array}{r}
2 \\
0 \\
1 \\
5 \\
+\quad 8 \\
\hline
\end{array}
$$

我明天取肉　　　　相加

$$
\begin{array}{r}
2003 \\
1 \\
+\quad 11 \\
\hline
2015
\end{array}
\qquad
\begin{array}{r}
2 \\
0 \\
1 \\
5 \\
+\quad 8 \\
\hline
\end{array}
$$

"哎呀！"小熊惊叫了一声，"结果都得 8，我明天万万去不得！"

狐狸得意地嘿嘿直笑。

4

狐狸致腐
HULIZHIQUE

　　小熊第二天早上没敢去取鹿肉,怕中了猎人的圈套。第三天一大早,小熊冒着刺骨的寒风跑去一看,鹿肉没了。小熊找了半天,一点影儿也没有,他垂头丧气地往家走。

　　小猴灵灵从树上跳下来对小熊做了个鬼脸,问:"小熊,怎么啦?怎么这样无精打采的?"

　　"别提了……"小熊把前天狐狸算卦的事原原本本地说了一遍。

　　"哈哈……"小猴笑得直不起腰。

　　"你笑什么?人家把鹿肉丢了,你却幸灾乐祸!"小熊有点生气了。

　　小猴说:"你上了狐狸的当啦!昨天一早,我看见狐狸叼了一大块肉从树底下跑了过去。"

"不会吧！"小熊不信狐狸会骗他，说，"这一切都是算出来的，哪会是假的？"

小猴说："你不信，我来让你算一个数。你把你的出生年份、离开你母亲的年份、你现在的年龄、你离开你母亲独立生活的年数，这4个数加起来，看看得多少。"

小熊在地上写出：

出生年份	1 9 9 5
离开母亲年份	1 9 9 7
现在年龄	8
独立生活年数	+ 6
	4 0 0 6

没等小熊算完，小猴脱口说出："等于4006，对不对？"

"对！你怎么算得这样快？"小熊惊呆了。

小猴说："根本用不着算。你只要把今年的年份2003乘以2，就得4006。"

小熊一试，$2003 \times 2 = 4006$，一点不差！

小猴说："不管谁，把与他有关的这4个数相加，一定得4006，不信你试试！"

小熊摸着脑袋，自言自语地说："这是什么道理呢？"

"道理也很简单。"小猴解释说，"一个动物出生年份加上现在年龄，一定等于2003，因为今年是2003年呀；离开母亲就是独立生活了，因此，离开母

亲年份加上独立生活年数，一定也等于 2003 。两个 2003 相加，当然等于 4006 喽！狐狸让你算的数，都是事先编好的。"

小熊明白了，他把拳头攥得咯咯直响，大吼一声，说："好个坏狐狸，你用数学来骗我，看我怎样收拾你！"

小熊来到了狐狸的家，一脚把门踹开，狐狸正在屋里大啃鹿肉。小熊上去三拳两脚，把狐狸打得屁滚尿流，特别是狐狸的左后腿被小熊一脚踢断，他变成了一只瘸腿狐狸！瘸腿狐狸也不会干好事的。

狐狸卖瓜
HULIMAIGUA

狸的腿被小熊踢瘸了,再想逮兔子是很困难了。为了生活,狐狸在森林的边上摆摊卖西瓜。

只见他拿着一把破芭蕉扇,一边赶着苍蝇,一边吆喝:"卖西瓜啦!又大又甜呀!"小鹿姑娘想买西瓜,她跑过来看了看西瓜,见西瓜有大有小。

小鹿问:"你的西瓜怎么卖法?"

狐狸一瘸一拐地向前走了两步,满脸堆笑地说:"嘿,鹿妹妹,我的西瓜便宜呀!大个的2元1个,小个的1元1个,你随便挑。"

小鹿拣了一个最大的西瓜,用手拍了拍,说:"我就要这个了。"

狐狸一看,眉头一皱,心想:"坏了,她把我做广告的西瓜买走,我拿什么来招揽买主呀!"

"嘿……"狐狸干笑了几声说,"我说鹿妹妹,这个西瓜个头虽大,可是不熟呀!生瓜!酸的!"

"真的?"小鹿有点犹豫。

狐狸赶紧抱起两个小西瓜递了过去,说:"这两个瓜是熟瓜,甜极啦!2元钱买这两个吧!"

小鹿看了看两个小瓜，摇摇头说："这两个小瓜合起来也没有那个大瓜大呀！"

"不对，不对。"狐狸掏出尺子把大西瓜和小西瓜都量了一下说，"你看，大瓜直径30厘米，两个小瓜直径都是15厘米，两个小瓜直径加在一起同样是30厘米，你一点也不吃亏呀！快拿走吧！"

小鹿把两个小西瓜抱回家。鹿妈妈接过其中的一个小西瓜，用刀一切，呀，白籽白瓤，一个地地道道的生瓜。

小鹿生气地说："我原来挑了一个大西瓜，狐狸非叫我买这两个小的，真气人！"接着小鹿把事情的经过告诉了妈妈。

"你被瘸狐狸骗啦！"鹿妈妈说，"西瓜可以看成一个球，计算球体积等于$\frac{1}{6}$×3.14×直径×直径×直径，你算算吧！"

小鹿写出：大西瓜体积 = $\frac{1}{6}$ × 3.14 ×

30 × 30 × 30 = 14130（立方厘米）

小西瓜体积 = $\frac{1}{6}$ × 3.14 × 15 ×

15 × 15 = 1766.25（立方厘米）

两个小西瓜体积 = 1766.25 ×

2 = 3532.5（立方厘米）

14130 ÷ 3532.5 = 4

小鹿气极啦！她说："好啊！大西瓜是两个小西瓜体积的4倍，找瘸狐狸算账去！"

小鹿和鹿妈妈拿着生瓜找到了狐狸，狐狸刚想跑，已经来不及了，小鹿把半个生西瓜扣在了他的头上。

野猪上当
YEZHUSHANGDANG

瘸腿狐狸卖西瓜赔了本，没钱买吃的，饿得肚子咕咕叫，走路直打晃。

老牛走过来，问："狐狸，你这是怎么啦？"

狐狸看了老牛一眼说："饿的，两三天没吃东西啦！"

老牛一本正经地说："要想有饭吃，就要参加劳动！"说完，老牛干活去了。

"哼，劳动？劳动多累呀！"狐狸眼珠一转说，"嗯，我有个好主意。"

狐狸一瘸一拐地跑到野猪家。野猪家有个大筐，里面装着许多玉米，筐子上面盖着厚布。狐狸说："野猪老兄，听说这筐里有许多玉米，能告诉我一共有多少吗？"

"保密！"野猪没好气地答了一声。

"哈哈，在我聪明的狐狸面前，不可能有任何秘密！"狐狸很有把握地说，"我出道题，你算算，我不但能说出你筐里有多少玉米棒，连你有多大岁数都能知道。"

"真的？"野猪觉得不可思议。

狐狸咳嗽了两声，说："把你筐子里的玉米棒数乘以2，加上5，把所得的数再乘上50，加上你的年龄，再减

去 250，把得数告诉我。"

野猪趴在地上算了半天，最后说："得 1506。"

狐狸立刻说："你筐里有 15 个玉米棒，你今年 6 岁。"

野猪一摸前脑门想，对，筐里的玉米棒是 15 个。野猪一摸后脑勺想，今年自己正是 6 岁。

"神啦！"野猪从心底里佩服狐狸。他问狐狸："你怎么知道的？"

"算的呀！你算的结果是 1506。最左边的两位数 15，就是玉米棒数；最右边的一位数 6，就是你的年龄。"

"你太伟大啦！"野猪抱着狐狸亲了一下。

"伟大不伟大并不重要,重要的是给我弄顿饭吃,要有酒有肉啊!"狐狸显得十分得意。

不一会儿,野猪给狐狸端上来红烧兔子肉、清蒸鸡、煮老玉米,外加两瓶好酒。狐狸猛吃猛喝,临走还拿了4个玉米棒。

野猪到处宣传,说瘸腿狐狸神机妙算。小猴灵灵告诉野猪说:"你上了狐狸的当啦!"野猪不信。

小猴说:"你看算式($2 \times 15 + 5$)$\times 50 + 6 - 250 = 15 \times 100 + 250 + 6 - 250 = 1500 + 6 = 1506$。玉米棒数15是你自己写上去的,乘以100后变成了千位和百位上的数,而年龄6也是你自己写上去的,它变成了个位数。这样一做,把两个数分离开了,一眼就可以看清楚。"

"好个瘸腿狐狸!"野猪快速冲了出去,追上瘸腿狐狸,夺过玉米棒,用每根玉米棒在狐狸头上都狠敲了一下。这下可好,瘸腿狐狸头上添了4个大包!

狐狸卖蛋
HULIMAIDAN

西瓜卖不成了，瘸腿狐狸改行卖鸡蛋了。

瘸腿狐狸守着好多箱鸡蛋，大声吆喝："卖鸡蛋啦！新鲜鸡蛋！多买便宜啦！"

突然，传来低低的哭泣声。瘸腿狐狸循声望去，见到一只大公鸡扶着一只哭泣的母鸡朝这边走来。

狐狸赶紧打招呼："二位买点新鲜鸡蛋吧！"

母鸡听到"新鲜鸡蛋"几个字，突然放声大哭。母鸡

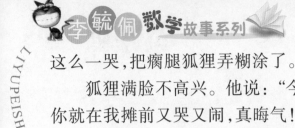

这么一哭,把瘸腿狐狸弄糊涂了。

狐狸满脸不高兴。他说:"今天是我第一次卖鸡蛋,你就在我摊前又哭又闹,真晦气!"

大公鸡赶紧解释说:"我妻子前几天产了一窝蛋,不留神,被小偷偷走了,她非常伤心。"

听说"偷"字,狐狸一怔。他急忙解释说:"人家常说狐狸偷鸡,可没听说狐狸偷蛋的,这蛋是我买来的,可不是偷你们的!"

瘸腿狐狸眼珠一转,立刻换了一副面孔。他笑嘻嘻地对母鸡说:"你不要哭嘛!你不是丢了鸡蛋吗,我这儿有的是鸡蛋,你买几个回去孵,保证你子孙满堂。"

听狐狸这么一说,母鸡立即破涕为笑。当即买了10个鸡蛋,欢天喜地地回窝孵蛋。

母鸡刚走,狐狸"扑哧"一声笑了,说:"我这些鸡蛋都是从母鸡场买来的,这母鸡场一只公鸡都没有,这鸡蛋根本就孵不出小鸡!"

母鸡回去孵蛋,一连孵了许多天,鸡蛋连一点动静也没有。又过了几天,鸡蛋开始发出臭味了,母鸡才知道上了狐狸的当。于是公鸡和母鸡一起找狐狸算账!

狐狸死不承认,可是公鸡和母鸡就是不走。狐狸眉头一皱,计上心来。狐狸说:"这样吧!我愿意把这1000个鸡蛋都给你,作为赔偿。只是有个条件。"

公鸡问："什么条件？"

狐狸说："这 1000 个鸡蛋，你们要分 5 次拿走。每次拿走的鸡蛋数都是一个由 8 组成的数。'8'多吉利，'8'就是'发'嘛！'发财'呀！"

公鸡和母鸡你看看我，我看看你，谁也不会算。突然，"叭嗒"一响，从树上扔下一个小纸团，一只猴子在树上一闪就没了。

公鸡拾起纸团一看，立即高叫一声，对狐狸说："你先给我 8 个鸡蛋。"狐狸照办；"你再给我 88 个鸡蛋。"狐狸照办；"你再给我 888 个鸡蛋，几次啦？"

狐狸说："3 次啦！"

母鸡过来说："剩下两次，该我啦！你给我 8 个鸡蛋，再给我 8 个鸡蛋。"

狐狸眼睛都红了，他列了个加法算式：8 + 88 + 888 + 8 + 8 = 1000 。狐狸大叫一声，昏倒在地上。

狐狸买葱 HULIMAICONG

狸瘸着腿一拐一拐地走着,心里琢磨着怎样才能发财。

瘸腿狐狸看见老山羊在卖大葱,走过去问:"老山羊,这大葱怎么卖法?共有多少葱啊?"

老山羊说:"1千克葱卖1元钱,共有100千克。"

瘸腿狐狸眼珠一转,问:"你这葱,葱白多少,葱叶又是多少呀?"

老山羊颇不耐烦地说:"一棵大葱,葱白占20%,其余80%都是葱叶。"

瘸腿狐狸掰着指头算了算,说:"葱白呢,1千克我给你7角钱;葱叶呢,1千克给你3角。7角加3角正好等于1元,行吗?"

老山羊想了想,觉得狐狸说得也有道理,就答应卖给他了。狐狸笑了笑,开始算钱了。

狐狸先列了个算式:$0.7 \times 20 + 0.3 \times 80 = 14 + 24 = 38$(元),然后说:"100千克大葱,葱白占20%,就是20千克,葱白1千克7角钱,总共是14元;葱叶占80%,就是80千克,1千克3角钱,总共是24元。合在一起是38元。对不对?"

老山羊算了半天,也没算出个数来,只好说:"你算对

数学动物园

了就行。"

"我狐狸从不蒙人！给你38元，数好啦！"狐狸把钱递给了老山羊。老山羊卖完葱往家走，总觉得这钱好像少了点，可是少在哪儿呢？想不出来。他低头看见小鼹鼠从地里钻了出来。就让小鼹鼠帮忙算算这笔账。

小鼹鼠说："你原来大葱是1千克卖1元。你有100千克，应该卖100元才对，瘸腿狐狸怎么只给你38元呢？"

老山羊点了点头，知道自己吃亏了。可是他不明白，自己是怎样吃的亏。

鼹鼠说："狐狸给你1千克葱白7角，1千克葱叶3角，合起来算是2千克才1元钱，这你已经吃一半亏了。"

老山羊问："吃一半亏，我也应该得50元才对，怎么只得38元呢？"

鼹鼠写了一个算式：$(1-0.7) \times 20 + (1-0.3) \times 80 = 6 + 56 = 62$（元）。"你1千克葱白吃亏0.3元，20千克吃亏6元；1千克葱叶吃亏0.7元，80千克吃亏56元。合起来正好少卖了62元。"

老山羊掉头就往回跑，看见狐狸正在卖葱，每千克卖2元。老山羊二话没说，一低头，用羊角顶住瘸腿狐狸的后腰，一直把他顶进了水塘里。

谁偷的鸡
SHUITOUDEJI

鸡妈妈昨天夜里丢了两只小鸡崽。孩子丢了，做妈妈的怎么能不伤心？鸡妈妈一大早就坐在屋前哭诉。

山羊、猴子、小熊等许多动物都来安慰鸡妈妈，瘸腿狐狸也一拐一拐地走来了。

狐狸伸了伸懒腰，打了一个长长的哈欠，说："我睡得正香，谁一大早就大哭大闹的？吵得人家睡不好觉。"

小熊一把揪住瘸腿狐狸，问："昨天夜里是不是你偷吃了鸡宝宝？"

瘸腿狐狸一翻白眼说："说话客气点！你说我偷吃了鸡宝宝，有什么证据？"

"这……"小熊傻眼了。

鸡妈妈从怀里拿出一张纸条，说："昨天夜里，那个该死的强盗，还在门上留了一张纸条。"老山羊接过纸条一看，只见上面写着：

母鸡女士：

我实在太饿了，借你的两只鸡崽充饥。

1232　　1243 启

纸条的背面还画了个方格表：

1234 猪	5632 狐	9143 狸
5678 弛	9178 池	1265 猫
9121 浪	1221 狼	5698 引

瘸腿狐狸说："凶手找到了！你们看最下面的两个字：'狼'和'引'，这明明是说'引狼入室'嘛！"

小熊说："狐狸说得有理，狼是十分凶残的！"

山羊摇摇头说："不对。凶手留下了两个密码——1232和1243。这两个密码与表上'狼'和'引'的数码不一致嘛！"

瘸腿狐狸立刻改口说："那就是猪，'猪'字上面的数码是1234，这与1243差不多。"

猴子仔细看了看表,说:"表上没有 1232 和 1243 这两个数码。但是,表上的每个字都是由左右两部分组成,每一部分都对应着一个两位数。"

山羊一捋胡子说:"猴子说得有理。从表上看 12 对应着的是'犭',而 32 对应着的是'瓜'。"

小熊明白了。他说:"1232 应该对着'狐'字,1243 应该对着'狸'字,合在一起是'狐狸'呀!"

大家把目光一齐投向瘸腿狐狸。狐狸全身一哆嗦,他小声说:"没想到,你们还真能破译这个数字谜。"

小熊一把揪住瘸腿狐狸的衣领,问:"咱们怎么处置这个坏蛋?"

大家一齐喊道:"打这个坏蛋!"

瘸腿狐狸问:"你们事先要说好打我多少下。"

猴子在地上写出:

1 - 2 + 3 - 4 + 5 - 6 + 7 - 8 + 9 - 10 + 11

猴子说:"打你这么多下,限你 10 秒钟算出来!"

狐狸被这加加减减一下子弄懵了,他哆哆嗦嗦地说:"少来几下,少来几下……"小猴列了一个算式:

1 - 2 + 3 - 4 + 5 - 6 + 7 - 8 + 9 - 10 + 11 = (11 - 10)+(9 - 8)+(7 - 6)+(5 - 4)+(3 - 2)+ 1 = 6

"6 下少不了!"小熊气呼呼地说。

松鼠救命
SONGSHUJIUMING

瘸腿狐狸偷吃了小鸡崽，要打他6下。小熊朝手上吐了唾沫说："我劲大，由我来打吧！"

小熊抡圆了胳臂，朝狐狸猛揍了5拳，狐狸"扑通"一声倒在了地上，小熊最后一拳将他打到了树上。狐狸过了半天，才缓过气来。

这时，一只小松鼠左手拿纸，右手拿笔，在树枝上边走边说："哎呀，这数学题可难死了，怎么做呀！"

小松鼠猛一抬头，吓了一大跳："哎呀，树上怎么会有只死狐狸？"

瘸腿狐狸半睁着眼睛，有气无力地说："你才死了哪！"

"是活的？"小松鼠又吓了一跳。

瘸腿狐狸小声问："你遇到难题了？我能帮忙吗？"

小松鼠说："你伤得这样重，还帮我解题，真是好狐狸！题目是这样的：有3棵古树，它们的年龄分别由1、2、3、4、5、6、7、8、9中的不同的3个数字组成，其中一棵树的年龄正好是其他两棵树年龄和的一半，这3

棵古树各多少岁？"

瘸腿狐狸说："这题很容易。不过，我如果帮你做出来，你能帮我一把吗？"

"没问题！救死扶伤嘛！"小松鼠满口答应。

狐狸说："你用这 9 个数中最小的 3 个数 1、2、3 组成 123，用最大的 3 个数字组成 789，而 123 + 789 = 912，恰好是 456 的两倍。也就是说 456 正好是 123 与 789 和的一半。"

小松鼠高兴地说："这 3 棵古树年龄分别是 123 岁、456 岁、789 岁。年龄可真大呀！要好好保护这些古树。"

瘸腿狐狸说："我已经帮你把题算出来了，你把我拉起来吧！"

小松鼠"吱吱"叫了几声，不知从什么地方钻出好几只小松鼠。大家喊着号子，连拖带拽把瘸腿狐狸拉了起来。帮忙的小松鼠一转眼又都不见了。

瘸腿狐狸对小松鼠说："我想吃点东西，我可不吃素食。"

小松鼠问："你想吃什么？"

瘸腿狐狸说："鸡、鼠共有 49，100 条腿往前走。请你仔细想一想，多少只鸡来多少只鼠？鸡我是不敢吃了，只好吃鼠啦。"

小松鼠问："要吃几只鼠？"

"算算嘛！"狐狸列了个算式：

鼠的只数是（100 - 49 × 2）÷ 2 = 1（只）。

小松鼠惊讶地问："这 1 只鼠是不是我呀？"

"就是你小松鼠！"说完，瘸腿狐狸张嘴扑了上去。

肚里生虫
DULISHENGCHONG

善良的小松鼠救活了瘸腿狐狸，瘸腿狐狸却恩将仇报，张嘴要吃掉小松鼠。小松鼠一下子惊呆了，站在那儿一动不动。

瘸腿狐狸正要享用这顿美餐，突然，屁股好像被锥子扎了一下，痛得他蹦起来好高。狐狸回头一看，原来是啄木鸟在自己屁股上啄了一个洞。

瘸腿狐狸大叫："你为什么啄我？"

啄木鸟说："我发现你肚子里全是坏虫，想把这些坏虫替你取出来。"

"真的？"瘸腿狐狸半信半疑。

"不信,你看!"啄木鸟像变魔术一样,从瘸腿狐狸身上叼起一条大虫子。

瘸腿狐狸看见活虫子,心里十分害怕。他问:"你说我肚子里会有多少条虫子?"

啄木鸟想了一下说:"是最小的五位数与最大的三位数的差。"

瘸腿狐狸眉头一皱,说:"最小的五位数是 10000,而最大的三位数是 999。它们的差是 10000 - 999 = 9001。我的妈呀!我肚子里有 9001 条坏虫!"

啄木鸟严肃地指出:"如果不及早把这些坏虫取出来,它们死后会变成坏水的!"

瘸腿狐狸一捂肚子说:"我不就有一肚子坏水吗?啄木鸟快救救我!"

啄木鸟认真地看了看瘸腿狐狸的肚子说:"由于你肚子里坏虫太多,我必须在你肚子上啄开 15 个洞,好从洞中取坏虫。"

"啊?"瘸腿狐狸吓了一大跳,他装出一副可怜相,哀求说:"请你行行好,少啄几个洞行不行?"

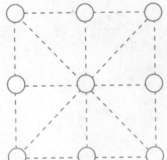

啄木鸟面露难色,过了一会儿说:"最少要啄 9 个洞。不过要求每 3 个洞排成一行,一共要排出 8 行才管用。"

"成，成，谁不知我瘸腿狐狸聪明过人！我这就排。"
狐狸在地上左画画右画画，还真让他画出来了。

瘸腿狐狸得意地说："看，我排出来了。9个洞，3个
洞一行，一共8行。"

啄木鸟点点头说："你还算聪明。你赶快仰面躺好，
我开始在你肚子上啄洞取虫子。"

瘸腿狐狸眼珠一转，心想："在肚子上啄出9个大洞，
即使把坏虫取出来了，我也完蛋了！嗯，这其中有诈！"

瘸腿狐狸仰面躺好，说："啄木鸟，你可慢点啄呀！我
肚子里没食，除了坏虫没别的东西啦！"

"放心吧！人家都称我为树木的医生，不会有问题。"
啄木鸟瞄准了他肚脐眼儿上面一点的地方，猛地啄了下去。

说时迟，那时
快，在啄木鸟的尖
嘴刚要啄到肚皮
时，瘸腿狐狸用
前爪紧紧抓住
了啄木鸟的嘴。

瘸腿狐狸
"嘿嘿"一阵冷
笑，说："看你还怎
么啄我？"

独眼狼王

DUYANLANGWANG

瘸腿狐狸紧紧抓住了啄木鸟的长嘴。他冷笑着说:"在我肚子上啄 9 个洞?你啄 1 个洞我就完蛋啦!我要把你撕着吃啦!"

瘸腿狐狸刚要动手,只觉得脖子上一紧,身子立刻腾空。瘸腿狐狸大喊"救命"。回头一看,吓出一身冷汗,原来是大象用长鼻子卷住他的脖子,把他举到了半空中。

大象愤怒地说:"把啄木鸟放了!不然的话,我就把你摔死!"

瘸腿狐狸心里不服气,他翻着白眼问:"啄木鸟是我的仇人,我找他算账,和你有什么关系?"

大象说:"你知道啄木鸟救活过多少棵树吗?你算算啄木鸟 1 个月吃掉多少只害虫!"

狐狸说:"也就是 10 只 8 只的。"

大象说:"啄木鸟每个月吃掉的害虫数,是一个三位数。它减去 7 ,得数就能被 7 整除;减去 8 ,得数就能被 8 整除;减去 9 ,得数就能被 9 整除。你说说啄木鸟 1 个

26

月吃掉多少害虫？"

　　瘸腿狐狸哀求说："你先把我放了，你勒着我的脖子，我说不出话来。"

　　大象说："你喊一、二、三，你放啄木鸟，我放开你！"

　　狐狸点头说："好，好。一、二、三。"狐狸先把啄木鸟

放了，大象也放了狐狸。

　　狐狸刚要走，大象一伸长鼻子把他拦住了。大象说："我出的问题你还没做出来哪！"

　　瘸腿狐狸笑了笑说："我给忘了，这个问题好解决。这个三位数减去 7 得数能被 7 整除，说明这个三位数是 7 的倍数。同样的道理，这个三位数也是 8 的倍数，也一定是 9 的倍数。符合这个条件最小的数应该是 7 × 8 × 9。

而 $7 \times 8 \times 9 = 504$,好了,这504就符合要求。这只啄木鸟1个月可以消灭504只害虫,真不少!"

"拜拜!"瘸腿狐狸转身又要走。

"站住!"大象又一次拦住了狐狸。大象说:"你要保证今后不再坑蒙拐骗,否则我还要把你摔死!"

瘸腿狐狸哭丧着脸说:"你不让我坑蒙拐骗,我怎么生活呀!"

大象大叫了一声,举起长鼻子就要去卷瘸腿狐狸。

突然,有人高喊:"谁敢伤害狐狸大哥!"话音刚落,从大树后面蹿出一条大灰狼,他只有一只眼睛。

瘸腿狐狸惊叫了一声:"是独眼狼王!"

"狐狸大哥,你快走!我来对付大象。"说完,独眼狼王就向大象扑去。

围剿兔子村
WEIJIAOTUZICUN

独眼狼王把瘸腿狐狸从象鼻子底下救了出来。瘸腿狐狸抹着眼泪说:"要不是狼老弟来救我,我早就粉身碎骨了!"

独眼狼王拍着狐狸的肩膀说:"像狐狸老兄这样足智多谋的动物,世界上也不多见。今后咱俩合作,我有勇,你有谋,天下无敌!哈哈!"

瘸腿狐狸说:"咱俩先弄点吃的,填饱肚子要紧。"

"对!"独眼狼王说,"树林东头有一个兔子村,住有5家,共有15只兔子。"

瘸腿狐狸一听这么多兔子,眼睛一亮,问:"这么说每家都有3只兔子喽?"

独眼狼王摇摇头说:"不,不。每家的兔子数都不一样,至于每家有多少只兔子,我可不知道。"

"可以算出来嘛!"瘸腿狐狸一副胸有成竹的样子,他清了清嗓子说,"我用试算法来算,此乃数学之大法,玄妙至极!"瘸腿狐狸几句话,说得独眼狼王晕乎乎的。

瘸腿狐狸说:"由于每家都有兔子,而每家的兔子数

又都不一样,可以假设这5家的兔子数分别是1只、2只、3只、4只、5只。$1 + 2 + 3 + 4 + 5 = 15$,正合适,说明我猜对了。"

"高明,高明,老兄实在是高明!"独眼狼王佩服得五体投地。狼王说:"咱们去5只兔子的那家!"

"不,不。"瘸腿狐狸满脸杀气地说,"咱俩把兔子村来个大扫荡,15只兔子一个不留,全部咬死!吃不了,也不让他们活在世上!"

"对，斩尽杀绝！我领你去兔子村！"独眼狼王领着瘸腿狐狸直奔兔子村。

兔子村里静悄悄的，连个兔子影儿都没有。

"嗯？"瘸腿狐狸感到有些不妙。

独眼狼王满不在乎地说："兔子们都在睡午觉，下手吧！"

瘸腿狐狸眼珠一转，说："这样吧，你去砸开门，进去逮兔子。我腿脚不方便，等在外面专抓逃跑的兔子。怎么样？"

"就这么办。我打头阵！"独眼狼王一阵风似的冲向兔子家。他飞起一脚，把门踹开，"嗷"的一声冲进了屋里。紧接着听到独眼狼王在屋里大喊"救命"。

瘸腿狐狸问："老弟，出什么事啦？"

独眼狼王说："屋里有夹子，把我脖子夹住了。老兄快救命！"

"你等着，我去找把钳子来。"瘸腿狐狸掉头就走，边走边说，"我救你？我要被夹住，谁救我呀？拜拜吧！"

狼狐决斗

瘸腿狐狸从兔子村一瘸一拐地逃出来。他心有余悸，暗道："真玄呀！差点把命搭进去。"

突然，他发现独眼狼王蹲在前面，一只眼正死死盯着他。"啊，独眼狼王没有死！"瘸腿狐狸心里一惊。

瘸腿狐狸眼珠一转，满脸堆笑地迎了上去，说："狼老弟，我正要找把钳子去救你，你……怎么自己出来啦？"

"嘿嘿……"独眼狼王先是一阵冷笑，接着说："一个小小的铁皮夹子，能治住我独眼狼王？你见死不救，不够朋友，咱们要进行一场决斗，你看怎么斗好？"

"这……"瘸腿狐狸知道躲不过去了，他暗打鬼主意。狐狸说："咱俩各咬对方一口，怎么样？"

独眼狼王点点头说："可以。但是，谁先咬呢？"

瘸腿狐狸说："你出个问题考我，我再出个问题考你，谁赢了谁先咬！"

"就这样。"独眼狼王痛快地答应了。他低头想了想，说："几只狐狸去赶集，半路偷了一窝鸡，一狐一鸡多一鸡，一狐两鸡少两鸡，问有几只狐狸几只鸡？"

"好，好。我们狐狸就有个偷鸡的小毛病，让你抓住来编题了。"瘸腿狐狸说，"这个问题说穿了就是：1只狐狸分1只鸡时，多出1只鸡来；1只狐狸分2只鸡时，多出1只狐狸来。有4只鸡，3只狐狸。对不对？"独眼狼王点了点头。

"该我出题考你啦！"瘸腿狐狸面露奸笑。他说："红狼比白狼个大；灰狼比黄狼个大，但比黑狼个小；黄狼比白狼个大；黑狼比红狼个小。让你按从大到小的顺序，把这几只狼排排队。"

独眼狼王听得独眼发直，傻呵呵地问："你说了半天，到底有几只狼我都不清楚。"

瘸腿狐狸得意地问："认输了吧？"

"认输是认输，不过你先要把答案告诉我！"独眼狼王想弄个明白。

"傻狼！"瘸腿狐狸把嘴一撇说，"总共有5只狼。从大到小排是：红狼、黑狼、灰狼、黄狼、白狼。你站好了，我可要先咬啦！"

独眼狼王满不在乎地说："一只狐狸能有多大劲儿？你尽管来咬！"

瘸腿狐狸扑了上去，张开大口用力咬住狼王的脖子。怪了，硬是咬不动！狐狸又用利爪去抓狼王的独眼。

独眼狼王大叫一声："好个瘸腿狐狸，你让我双眼瞎！我饶不了你！"狼王抓住瘸腿狐狸，只一口就把狐狸咬死了。狼王变成了双眼瞎，他痛得到处乱闯，掉进河中淹死了。

两个大坏蛋，一个也没剩。

夜半狼嗥
YEBANLANGHAO

瘸腿狐狸和独眼狼王死了以后,树林里太平了好一阵子。可是,最近几天半夜里又听到了狼嗥。小白兔吓得不得了,老山羊也愁容满面,惟有小熊不怕。小熊握紧双拳说:"今天夜里我出去看看,真要遇到狼,我就打死他。"

树林的夜晚比白天安静多了,偶尔能听到几声猫头鹰的叫声。小熊独自踱着步,东张西望,忽然一声狼嗥,小熊吓得全身一哆嗦。定睛一看,啊,月光下一条灰色的狼趴在前边,一只狼眼瞪得很大。"独眼小狼王!"小熊差点叫出了声。

说时迟，那时快，小狼王撒腿朝小熊追来，小熊没命地往回跑，跑回家赶紧把门关上。灰狼用利爪抓了3次门，又嗥叫了6声，才慢慢离去。

小熊在屋里定了定神，悄悄地打开门。地上有一张纸条，上面写着：

树林里的动物们听着：我是一只既聪明又善斗的狼。我要什么，你们就要给什么。不给，你们全体都要遭殃！

你们先给我准备10只活兔子，要有白色的、灰色的和黑色的3种。我随便取走3只兔子，其中至少有1只白色的。3天以后我来取，记住啦！

独眼小狼王

小熊赶紧把这张纸条交给了老山羊。小鹿、白兔、松鼠等也闻讯赶来。

白兔吓得全身发抖，说："这可怎么办呀？谁帮忙算算，这3种颜色的兔子各要多少只？"

猴子蹲在树上说："8只白兔、1只灰兔、1只黑兔。"

"啊！这么多白兔！"白兔紧张极啦。他问小猴："你算得对吗？"

"怎么不对？"小猴说，"假如是7只白兔，那么灰兔和黑兔合起来就是3只了；如果小狼王正巧取到这3只，不就没有白兔了吗？"

老山羊安慰白兔说："不要怕，我们大家想想主意！"

狼王应考

猴 子从树上跳了下来，说："小狼王出题考咱们，咱们不会出道题考考他？"

"好主意！"小熊两只熊掌用力一拍说，"猴子，出道难题考考这个独眼小狼王。"

猴子眨巴着眼睛说："我们家有大猴和小猴，大猴数乘小猴数，把这个乘积在镜子里一照，看到的数，恰好是我家大猴和小猴的总数。让他算算我们家有多少只大猴，有多少只小猴。"

"好题目！我把这道题写在纸上贴出去！"小熊忙着找纸又找笔，写了一张大布告贴到一棵大树树干上。

三天后的傍晚，独眼小狼王又溜进了树林，他想看看他要的 10 只活兔子准备好了没有。他东转一圈儿没见一只活兔子，他西转一圈儿连只死兔子也没有。独眼小狼王大怒，把狼牙咬得"咯嘣咯嘣"乱响。

突然，独眼小狼王看到小熊写的布告。他念道："可恨的独眼小狼王，你好好听着！你自称狼王，还要 10 只活兔子，你先把下面的题目算出来，证明你不是傻狼，我们才能满足你的要求。题目是：猴子家有大猴和小猴……"

36

独眼小狼王独眼一转,暗道:"弄群猴子想难住我,没门儿!"他一溜小跑到了河边,在纸上写了一个1,把1字朝下,往河面上看看这个1字是什么样。

小狼王说:"河水就如同一面镜子,我先照照有哪几个数字,从河水中看仍然是原来的数字。"通过逐个试验,他只找出两个数字——1和8。这两个数从河面上看仍旧是1和8,别的数字都不成。

小狼王点点头说:"这个大小猴数乘积不是18,就是81。18只能分成 $1×18$、$2×9$ 等,看来18不对。81呢? $81 = 9×9$,而 $9 + 9 = 18$。嘿,有门儿!"他在纸上写上81,放在水面上一照,水面上出现的就是18。

"哈,哈,我算出来啦!"独眼小狼王高兴极了。他在树林里一面奔跑,一面高声叫喊:"我算出来啦! 9只大猴,9只小猴。你们快给我准备好10只活兔子吧!"

小猴和山羊听了点点头,说:"这家伙不傻,要认真对付他!"

烂瓜砸头

LANGUAZATOU

独眼小狼王叫喊着要吃活兔子。小猴在树上冲着小狼王说:"喂,要吃兔子的饿狼!明天给你准备3只活兔子——1只白兔、1只灰兔、1只黑兔。你看怎么样?"

小狼王用舌头舔了一下嘴边的口水,高兴地说:"好,好,有3只兔子可以吃个半饱了!"

"不过……"小猴坐在树杈上,跷起了二郎腿说,"你必须告诉我这3只兔子各有多重。"

小狼王用力点点头说:"行,行,兔肉香极啦,多重我都吃得下!你说怎么算吧!"

小猴不慌不忙地说:"你听好啦!白兔的重量等于灰兔的重量加上黑兔的重量,白兔加黑兔的重量等于灰兔重量的2倍,3只兔重量的乘积等于3只兔重量的总和,最轻的兔子为1千克。你自己算去吧!"

小狼王说:"我先判断一下哪只兔子最重,哪只兔子

最轻。由于白兔等于灰兔和黑兔重量的和，显然白兔最重。根据白兔和黑兔合起来等于两只灰兔的重量，灰兔一定比黑兔重。如果黑兔比灰兔重的话，因为白兔也比灰兔重，那么白兔和黑兔合起来肯定比两只灰兔重啦！"

小狼王接着说："嗯，黑兔是 1 千克重。由于 $3 + 1 = 2 \times 2$，$3 \times 2 \times 1 = 1 + 2 + 3$，可以肯定灰兔 2 千克，白兔 3 千克。"

"猴子，猴子，我算出来啦！快告诉我，明天把兔子放在什么地方吧！"小狼王抬头一看，猴子早没踪影了。小狼王大叫一声："上猴子当啦！"话音未落，从树上飞下一只烂西瓜，正好砸在小狼王的脑袋上。

小狼王大叫一声："我的妈呀！是什么东西，这么臭！"

"哈哈……"小猴在树上笑着说，"请你先吃个烂西瓜开开胃，然后再吃兔子肉。"

小狼王用前爪抹了一把脸上的臭西瓜汁，咬牙切齿地说："好个猴子，我非吃了你不可！"他嗥叫一声，跃起身来向猴子扑去。猴子揪住树枝灵活地从一棵树悠到另一棵树上，小狼王在后面猛追。

独眼小狼王只顾追小猴，没注意前面有一个圆乎乎的东西，一脚踩了上去，他大叫一声："哎呀，扎死我啦！"小狼王定睛一看，是个小刺猬。

小刺猬不高兴地说："踩了人家一脚，也不说声对不起，没礼貌的家伙！"

"哼！"独眼小狼王气得全身发抖。

智 力赌博
ZHILIDUBO

独眼小狼王一瘸一拐地走回家，心里想：这活兔子八成是吃不上了，我要另想别的办法。

他伸手揭下贴在左眼上的橡皮膏，说："为了吓唬树林中的动物，每天要贴上这讨厌的橡皮膏，装扮成独眼狼王。唉，这要贴到什么时候才算完！"说完顺手把橡皮膏贴到了右眼上。

独眼小狼王心想，瘸腿狐狸生前做过买卖，可是做买卖我没有本钱呀！他左眼珠一转，双手一拍，说："有主意了，我来它个无本万利！"

第二天清早，独眼小狼王在树林的一块空地上摆了一个摊，还立了一个牌子，牌子上写着"智力赌博"4个字。

小狼王大声吆喝："快来发大财呀！谁能解答出我的问题，我给他20元；如果解答不出来，给我10元就行了。"动物们听他这么一喊，围了一大圈。小鹿姑娘走上前说："我来做道题。"

"好，好。"小狼王满脸堆笑说，"题目非常非常简单，你一看就会，白得20元钱！请你在2分钟内把下面两个

十位数的乘积算出来！"说完，写了一个乘法算式：

3333333333 × 6666666666

小鹿姑娘一看这个多位数乘法立刻傻眼了，她想列个竖式来乘，可是连一行也没乘完，小狼王就说："2分钟已到，你输啦！要给我 10 元。"

小鹿姑娘只好乖乖地把 10 元钱交给了小狼王。小狼王高兴极啦！他又大声吆喝起来："快来捡钱啊！做对一道题就得 20 元！"

一个动物"嗖"的一声从树上跳了下来，小狼王定睛一看，是猴子。小狼王对猴子是又恨又怕，他恶狠狠地问："猴子，你又来捣乱！"

猴子笑笑说："不来捣乱，是来发财。我来做这个乘法。"猴子写出：

$$\underbrace{333\cdots3}_{10个}\times\underbrace{666\cdots6}_{10个}=\underbrace{333\cdots3}_{10个}\times3\times\underbrace{22\cdots2}_{10个}$$

$$=\underbrace{999\cdots9}_{10个}\times\underbrace{222\cdots2}_{10个}=(\underbrace{10000\cdots0}_{10个}-1)\times\underbrace{22\cdots2}_{10个}$$

$$=\underbrace{222\cdots200}_{10个}\underbrace{\cdots0}_{10个}-\underbrace{22\cdots2}_{10个}=\underbrace{22\cdots2}_{9个}177\underbrace{\cdots78}_{9个}$$

猴子把猴眼向上一翻,把手向前一伸说:"20元钱,拿钱来!"

独眼小狼王仔细看了一遍计算过程,一点错也没有。没办法,把刚刚赢小鹿姑娘的10元钱交给了猴子。

猴子一瞪眼说:"还差10元!"小狼王摇摇头说:"我自己连一分钱也没有!"

"打!打这个骗子!"围观的动物们一起动手,打得小狼王落荒而逃。

狐仙显圣
HUXIANXIANSHENG

近几天树林里听不到狼嗥了,可是却多了狐狸的脚印,这些脚印左边深,右边浅。

"这是瘸腿狐狸的脚印!"白兔十分肯定地说。

"开玩笑!"小熊摇摇头说,"瘸腿狐狸和独眼狼王都死了,我是亲眼看见的呀!"

这是怎么回事呢?

不久,答案出来了。在不远的一个小山洞里出现了一个"狐仙"。山洞的洞口还贴着一副对联。上联写"专问吉凶",下联是"包治百病",横批的 4 个大字为"狐仙显圣"。一时,一些迷信的或有病的动物纷纷去治病、算命。

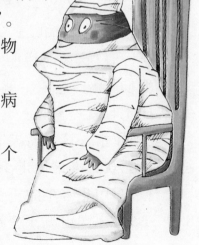

"狐仙是瘸腿狐狸转世,治病可灵啦!"

"狐仙有本事,算命一算一个准!"

小熊气呼呼地说:"什么狐仙啊,我不信那一套! 我去

会会这个狐仙。"小熊跑到山洞口一看，来算命和治病的动物还挺多。小熊挤进洞里，里面光线很暗，一只动物用黄布把全身围得严严实实，只露出一双眼睛。

一只有病的豹子在算命。豹子问他的病什么时候能好，只见这个"狐仙"口中念念有词，从石板下面抽出一张纸条。纸条上写着："一个三位数被 37 除余 17，被 36 除余 3。"

"狐仙"说："你先把这个三位数算出来。你的病哪天能好，全隐藏在这个三位数中。"

豹子摇头说："我不会算。"

"狐仙"从黄布下伸出一只毛茸茸的爪子，说："给 10元钱，我帮你算出来。"豹子递过去 10 元钱。

"狐仙"接过钱，又认真看了看是不是假钱，才慢吞吞地说："设这个三位数为 x。这个数被 37 除余 17，可以写成 $x = 37 \times 商 + 17 = 36 \times 商 + 商 + 17$。可是，它又被 36 除余 3，因此（商 + 17）被 36 除一定余 3，满足这个条件的商是 22。所以，$x = 37 \times 22 + 17 = 831$。"

豹子问："这 831 说明了什么？"

"狐仙"说："这 831 就是答案啊！它告诉你，你的病在 8 月 31 日就痊愈啦！"

豹子屈指一算，高兴地说："再有 11 天我的病就好啦！"说完欢天喜地地走了。

"狐仙"用非常小的声音说了两句："傻子！年年都有8 月 31 日，你知道哪年 8 月 31 日好啊！"

数学动物园

　　小熊跑到老山羊家，把他看到的一切一五一十地向老山羊学说了一遍。小熊最后说："奇怪的是这个狐仙说话的声音我非常耳熟，特别像独眼小狼王。"

　　老山羊忙问："这个狐仙有几只眼呢？"

　　"两只，还都会转！"小熊回答得十分肯定。

　　老山羊捋了一下胡子说："这就怪啦！"

李毓佩数学故事系列

狐仙现形
HUXIANXIANXING

小熊对老山羊说："我去小山洞把他身上披的黄布拉下来,看看这个狐仙是不是小狼王装的,如果是小狼王装神弄鬼,我打死他!"

老山羊连连摇头说:"不成,不成。许多动物都迷信这个狐仙,没把握的事不能胡来!"

"那怎么办? 难道就眼睁睁看着他骗人!"小熊急得又蹦又跳。

老山羊请猴子出个主意,猴子扒在小熊的耳朵上小声嘀咕了几句。小熊一挑大拇指说:"好主意! 就这么办!"在狐仙的洞口,猴子扶着小熊一瘸一拐地走来了,小熊的腿上缚着纱布,嘴里还直哼哼。

"狐仙"看见小熊就一愣,再一见到猴子,不由得倒吸了一口凉气。"狐仙"镇定了一下问:"你来看什么病啊?"

小熊用手指指自己的腿说:"我的腿叫独眼小狼王咬了一口,哎哟,好痛哟!"

"嗯?""狐仙"吃了一惊,但很快又恢复常态。他问:"伤在什么地方?"

小熊扭头看了一眼猴子，猴子冲他点了点头。小熊咳嗽了一声，说："伤口到脚底的距离，正好是腿长的 $\frac{3}{8}$。以伤口为分界点，把腿长分成两段，这两段长度的差为 0.18 米。狐仙，你该知道我的伤口在什么地方。"

"嘿嘿。""狐仙"一阵冷笑。他脱口说出："我小……"觉得不对，又改口说："我小狐仙没有不知道的事情。我给你算一算：伤口把你的腿分成 $\frac{3}{8}$ 和 $\frac{5}{8}$ 两段，两段的差是 $\frac{5}{8} - \frac{3}{8} = \frac{2}{8} = \frac{1}{4}$，差值是 0.18 米，因此，腿长为 $0.18 \div \frac{1}{4} = 0.18 \times 4 = 0.72$（米）。而 $0.72 \times \frac{3}{8} = 0.27$（米），说明伤口离脚底 0.27 米。"

"狐仙"拿出皮尺，离开座位弯腰给小熊量伤口所在的地方。小熊的手也够快的，"狐仙"刚弯下腰，他就把披在"狐仙"身上的黄布一下子揭开，一条又粗又长的狼尾巴露了出来。小熊再用力拉一下黄布，一只灰狼出现在大家面前。

"不是狐仙，是灰狼！"动物们一下子散开了。

这只灰狼猛地一抬头，大家发现他只剩下一只眼了。他大叫："独眼小狼王在此，把你们身上带的钱全给我留下，不然就别怪我不客气啦！"动物们一阵大乱，纷纷往外跑。

小熊大喊："大家别乱！有我哪！"小熊揪住小狼王的长尾巴，转身来了个摔跤动作——背口袋。只听"啪"的一声，他把小狼王狠狠地摔到了地上。小狼王"哎哟"叫了一声，站起来一瘸一拐地逃出了山洞。

小熊双手一叉腰，说："嘿嘿，他成了瘸腿狼啦！"

瘸腿小狐狸

QUETUIXIAOHULI

独眼小狼王被小熊狠狠地摔了一下,差点没摔散了架。他跑到一棵大树下,背靠着树干,大口地喘着粗气。

小狼王定了定神,"扑哧"一声笑了。他自言自语地说:"哎,装神弄鬼有七八天了,骗了一口袋钱,没白干呀!我数数口袋里有多少钱。"小狼王一摸腰上的钱口袋,大惊失色,怎么?钱口袋没了。他两只前爪一捂脑袋,往地上一蹲说:"完啦!""哈哈……"从树后传来一阵奸笑。小狼王回头一看,一只狐狸一瘸一拐地走了出来。小狼王

吃了一惊,叫道:"瘸腿狐狸!"狐狸笑眯眯地说:"独眼小狼王,你应该叫我瘸腿小狐狸。"小狼王问:"我的钱口袋呢?"瘸腿小狐狸把右手向上一举,说:"钱口袋在这儿哪!"小狼王把独眼一瞪,说:"你偷走我的钱口袋,你是瘸腿小偷!"小狐狸"嘿嘿"一笑,说:"你装神弄鬼骗人钱财,你是独眼骗子!这口袋的钱要分一部分给我,否则我不给你。"小狼王问:"怎样分法?"小狐狸说:"这钱袋里的钱我数了一下,全是1元一张的票子。你先拿走全部票子的一半又半张,我拿走剩下票子的一半又半张,你又拿走剩下的一半加半张,最后剩下的票子一半外加半张归我。你算算咱俩各分多少钱吧!"小狼王抓耳挠腮地算了半天,也没算出来。他气呼呼地说:"连一个钱数也没有,让我怎么算?"

"你不会算,我可会算。"说完,小狐狸就边说边算:"最后剩下的一半票子加半张归我,说明我最后只得到1元钱。反着往上推,你第二次拿钱时,口袋里剩下3元钱,你拿走一半是1.5元,加半张是0.5元,合起来是2元,给我剩下了1元。"

小狼王两只前爪用力一拍,说:"我会算了。你第一次拿了4元,我第一次拿走8元。""对,对。"小狐狸说,"你一共拿了10元,我才拿5元,你是我的两倍呀!"两人分完了钱。小狼王说:"走,今天我请客,边吃边聊。"小狐狸跟小狼王走了。

酒后吐真言

JIUHOUTUZHENYAN

独眼小狼王和瘸腿小狐狸走进了"山猫酒家"。山猫经理跑过来问："二位吃点什么？我这儿要酒有酒，要肉有肉。"

小狼王把手一甩说："拣好的上！"不一会儿，山猫经理端来了红烧兔肉、熏野鸡、清炖羊肉、炒蛇丝，外加两大瓶猕猴桃酒。两人开怀畅饮，酒过三巡，都有些醉意。

小狼王瞪着一只红眼说："咱俩都喜欢吃兔肉，这树林里的兔子可要分一分，省得打架！"

"对。"小狐狸说，"咱们就算树林里有160只兔子，咱俩来分，让你分到兔子数的 $\frac{1}{3}$ 等于我分到兔子数的 $\frac{1}{5}$。你说怎么样？"

小狼王有点不放心，他问："是 $\frac{1}{3}$ 多呢，还是 $\frac{1}{5}$ 多？"

小狐狸说："当然是 $\frac{1}{3}$ 多喽！说句痛快话，你干不干？"

"干！"小狼王一仰脖子又喝了一大杯酒。他问："我到底能分多少只兔子？""我给你算算。"小狐狸说，"我的这个问题还挺绕人。假设你分的兔子数为 x，我分的兔子数为 $(160 - x)$。你的 $\frac{1}{3}$ 就是 $\frac{1}{3}x$，我的 $\frac{1}{5}$ 就是 $\frac{1}{5}(160 - x)$，这两个数相等可以得到 $\frac{1}{3}x = \frac{1}{5}(160 - x)$，解方程得

$x = 60$。"

小狼王站了起来,用手指着小狐狸的鼻子说:"我明白啦! 160 只兔子我得 60 只,剩下的 100 只都归你啦,没门儿!"小狐狸也跳起来喊道:"你是只独眼狼,就是分给你 100 只兔子,你眼神不好也逮不着呀!"

"谁说我是独眼狼!"小狼王说着就把贴在左眼上

的橡皮膏揭了下来,两只狼眼瞪着小狐狸。

"啊?"小狐狸吓了一跳,"原来你没瞎!"

小狼王得意地微微一笑,说:"你是只瘸腿狐狸,给你 100 只兔子,你捉得着吗?"

"谁说我是瘸腿狐狸?"小狐狸说着"噌"的一下跳起好高。

"啊?"小狼王吃了一惊,他说,"原来你不瘸! 是骗人的!"小狐狸用力拍了一下小狼王的肩头说:"你骗我也骗,一对大骗子!"

6

只脚的怪物

LIUZHIJIAODEGUAIWU

树林里的怪事越来越多。夜里不知什么动物嗥叫了一宿。早上起来,小白兔和山羊发现地上有 6 只脚怪物的脚印。

小白兔边跑边喊:"不好啦!树林里发现了 6 只脚的怪物,大家快来看呀!"

大家都跑来看这些怪脚印。猴子问老山羊:"您认识这脚印吗?"

老山羊拿出放大镜仔细看了看,摇摇头说:"真怪!前 4 个脚印非常像狼的脚印,但后两个脚印就不是狼的了。"松鼠忙问:"那是什么动物的脚印呢?""黑乎乎的两个圈印儿,连有几个脚趾都看不出来。"老山羊又摇摇头。小白兔紧张地问:"这个怪物长着 4 只狼爪,它一定吃我们兔子,这可怎么办呢?""嘿嘿!"猴子冷笑了两声,"我

只见过 6 只足的小昆虫，还没见过 6 只脚的大怪物。我倒想会会这个怪物呢！"猴子在鹿姑娘耳边小声嘀咕了几句。一会儿，鹿姑娘拿着一块黑板跑过来，她大叫道："今天晚上由兔子和山鸡在树林值班，怎么安排写在小黑板上！"

夜幕降临了，月光透过树枝洒在地上。一头 6 只脚怪物出现了，他一前一后长着两个脑袋，两个脑袋四处不停地张望，很快就发现了挂在树上的小黑板，黑板上写着：

今天由兔子和山鸡在东西两头值班。先说东边：如果把 15 只兔子换成 15 只山鸡，那么兔子和山鸡的数目相等；如果把 10 只山鸡换成兔子，那么兔子就是山鸡的 3 倍。再说西边：西边的兔子数等于东边的山鸡数，西边的山鸡数等于东边的兔子数。

"哈哈，兔子！"前面那个头大叫。"嘻嘻，山鸡！"后面那个头大喊。前面那个头说："老弟，你算算哪边兔子多？"

"好说。"后面那个头说，"我敢肯定，东边的兔子比山鸡多 30 只，不然的话，怎么会换掉 15 只还能相等呢？"

前面那个头说："对！假设山鸡为 x 只，兔子就是 $(x + 30)$ 只，再根据条件可得 $x + 30 + 10 = 3(x - 10)$，求得 $x = 35$。也就是说东边山鸡 35 只，那么兔子就是 6 5 只了；西边正好相反，山鸡 65 只，兔子 35 只。""哈，东边兔子多，咱们去东边。"前面那个头往东走。"不，西边山鸡多，去西边。"后面那个头往西走。只听得"哧啦"一声，一个怪物变成了两个。

猴子出主意
HOUZICHUZHUYI

猴子、小熊和老山羊一直躲在暗处监视着这个6只脚怪物的行动。当这个怪物前面的头要到东边去吃兔子，而后面的头要到西边去吃山鸡时，一用力，把连接的布条扯开了。

猴子可看清楚了，这个6只脚大怪物原来是狼和狐狸装扮的。独眼小狼王在前面，瘸腿小狐狸把两只前爪搭在狼的腰上，只用两条后腿走路，而且把后爪用布包上。

"两个坏蛋装神弄鬼吓唬人！我去揍他俩一顿！"小熊举着双拳就要上去。

"慢着！"猴子拦住了小熊说，"咱们要一个一个对付。"

猴子扒在小熊耳边小声说了几句，小熊高兴地点点头说："好主意，就这么办。"说完，小熊跟着小狼王往东走了。猴子让老山羊留在原地，自己跟着小狐狸向西行。

先说小狼王一溜小跑到了东头，他睁大了眼睛，仔细寻找值班的兔子。他转了一个大圈儿，连根兔子毛都没看见。小狼王急了，他恶狠狠地说："不是说有65只兔子吗？怎么连一只也找不着？是不是小狐狸在骗我？"

突然，从一棵大树后面发出一种又尖又刺的声音："傻狼！根本就没那么多兔子，我骗你呢！"

"小狐狸？"小狼王生气地问，"小狐狸，你说实话，没有 65 只兔子，究竟有多少只兔子？"

那声音回答说："这是一个整数，它不能当分母，又不能当除数。你说这个数是几呀？"小熊捏着鼻子，学着狐狸的腔调说完这几句话，自己都憋不住想笑。突然他想起猴子嘱咐的话，撒腿就跑了。

小狼王围着大树转了一圈儿，没有找到小狐狸。他歪着头想，小狐狸说的这个整数是几呢？什么数不能当分母又不能当除数呢？他想着想着，突然一拍大腿说："哎呀！我想起来了，这个整数就是 0 呀！ 0 既不能当分母又不能做除数。原来东头没有兔子。"

想到这儿，小狼王的眼珠子气得有些发红，他恶狠狠

地说："好个小狐狸，你说东边有 65 只兔子，结果连 1 只兔子也没有。我要找你瘸腿小狐狸算账去！"说完，小狼王气呼呼地朝西边奔去。

狐狸上当
HULISHANGDANG

瘸腿小狐狸一直往西跑,快到西头他突然停住了。狐狸生性好疑,他要仔细琢磨一下刚才发生的事情。"为了防备 6 只脚怪物的袭击,他们为什么不派像小熊、野猪这样强有力的动物值班? 却派兔子、山鸡这些好吃的来充数? 这里面会不会有鬼呢?"想到这儿,他干脆坐在地上不走了。

猴子看见狐狸不走了,心想,糟啦! 计划要破产。猴子赶紧找来几只山鸡和兔子,让他们在西头又飞又叫。正犹豫不定的小狐狸,听到山鸡的叫声心中一惊。山鸡的诱惑使他顾不了别的了,他继续向西跑去,突然,小狐狸听到兔子在问:"西头有多少只山鸡在值班呀?"一只山鸡飞过来说:"总数是多少我不知道,我只知道总数是两个数的和。这个和比其中的一个数大 50 , 比另一个数大 20 。"兔子问:"两个数都不知道,怎样求和呀?""傻兔子!"小狐狸小声骂了一句说,"和比其中一个数大 50 , 说明一个数必然是 50 呀! 和比另一个数大 20 , 说明另一个数必然是 20 呀! 加起来是 70 嘛!"小狐狸突然想起来什么,他说:"原来说有

56

65 只山鸡,怎么突然变成 70 只呢！哎,越多越好。"他跑到西头一看,连一只山鸡也没有。他正纳闷,突然听到"哈哈"一阵狂笑。小狐狸吃了一惊,忙问:"是谁？""是我,你连狼大哥的声音也听不出来了？"这声音是从草丛后面发出来的。小狐狸问:"你来干什么？""我想到你这边逮几只兔子吃。你爱吃山鸡,留着这么多兔子也是浪费。谁想兔子没逮着,把山鸡都给吓跑了,我还是回东边逮兔子去！"猴子装作小狼王的声音说完就跑。小狐狸蹿进草丛,想找小狼王说说理,但是扑了一个空。他气呼呼地说:"你把我这边的山鸡都吓跑了,我也不让你舒舒服服地吃兔子。"说完,小狐狸掉头向东跑去。

狼怕圆圈
LANGPAYUANQUAN

小狼王向西跑，一心要找小狐狸算账。

小狐狸向东跑，专要找小狼王说理。小狐狸跑到半路停住了，他又犯了疑心。他想如果小狼王不讲理，翻脸打起来可不得了，自己不是小狼王的对手呀！怎么办？

小狐狸想起了狼特别怕圆圈，他找来一块白粉块在地上画了9个圆圈。

小狐狸看着地上的9个圈儿，笑了笑说："这叫做九连环，环环套在你小狼王的脖子上。"

小狐狸继续往东跑，跑得飞快，再加上天黑看不清楚，只听得"咚"的一声，和一个从对面跑来的动物撞到了一起。"噔噔噔"小狐狸一连倒退了3步，一屁股坐在了地上。

小狐狸刚要发火，定睛一看，啊，是独眼小狼王。小狐狸用手指着小狼王的鼻子刚想骂上两句，忽然他发现小狼王的双眼通红，还发出逼人的凶光。小狐狸不禁全身哆嗦了一下，他立刻用手一抹脸，现出了满脸的笑容，

往前走了一小步,问:"狼大哥,吃了几只兔子呀?这里的兔子肉还香吧?"

"香?还臭哪!"小狼王大吼了一声说,"东边明明没有兔子,你却骗我说有65只兔子。你快说,你把那些兔子藏在哪儿了?快说!"说完向前逼近了一步。

小狐狸向后退了一步,双手乱摆说:"没有的事!我算得一点错也没有!"

"叫你跟我嘴硬!"小狼王说完就扑了上去,小狐狸扭头就跑,他快步跑到9个圆圈的旁边。小狼王看见圆圈立刻停住了脚,他吃惊地说:"啊,9个绳套!"

（圆圈中的数字：3、1、511、7、255、31、63）

小狼王低头仔细一看,怎么回事,在其中7个绳套里还有数字?这时他耳边响起了一个浑厚有力的声音:"谁能把空圆圈中的数字填对,你想要什么就会有什么!"

小狼王说:"我来填左边的圈。1、3、7下一个该是几呢?是9。这些都是单数呀!"小狼王在圈里填上一个9,跳进圈里高兴地叫道:"我想吃兔子!"话音刚落,圆圈立刻变成了绳套,一下子套住了小狼王的脚,绳套往上一提,就把小狼王倒挂在树上了。

小狐狸笑嘻嘻地说："傻狼！这几个数的规律是：$3 = 1 \times 2 + 1$，$7 = 3 \times 2 + 1$，$15 = 7 \times 2 + 1$，$31 = 15 \times 2 + 1$，$63 = 31 \times 2 + 1$，$127 = 63 \times 2 + 1$……右边这个圈里填上 127 才没错！"小狐狸填上了 127 又跳进圈里说："我想吃山鸡！"

"嗖"的一声，一条绳子把小狐狸也倒挂在树上。

猴子笑了，小熊笑了，老山羊也笑了。

李毓佩数学故事系列

LI
YU
PEI
SHU
XUE
GU
SHI
XI
LIE

猴子探长

谁砍的树木
SHUIKANDESHUMU

清晨,小松鼠慌慌张张来找小猕猴:"小猕猴大侦探,大事不好了!山上的树木被人砍倒了一大片。"

小猕猴吃惊地说:"有这种事?咱们去看看!"

来到山上,小猕猴看到了十几棵大树的树桩。小猕猴分析说:"这十几棵大树被人砍倒,运走,显然不是一两个人干的!"

小松鼠问:"可能是谁呢?"

"先仔细研究一下盗贼留下的脚印。"小猕猴趴在地上非常仔细地观察地上的脚印。他又拿出一张纸把其中最大的脚印描了下来。

小猕猴指着大脚印说:"这个又大、又圆、又深的脚印,肯定是大象的脚印!"

小松鼠指着一个小一点的脚印说:"这个脚印一定是

狗熊的。"

"要立刻去找大象!"小猕猴和小松鼠掉头就走。

小猕猴找到大象,问:"山上的树木是你砍的吗?"

大象回答:"不是我砍的,是我运走的。"

小猕猴又问:"树木是谁砍的?是谁叫你运的?"

"我都知道,可是我不告诉你!"大象态度还挺坚决。

"为什么不告诉我?"小猕猴不明白。

大象很坦白地说:"人家给了我好多好吃的香蕉,我向人家保证不说出去!"

"他给了你多少香蕉?"

"只要我答应去运树木,他就先给我 10 根香蕉作为定金。"

小猕猴指着筐里的香蕉,说:"你这里的香蕉可不只 10 根呀!"

大象点点头说:"对,他还对我说,我给他运出第一根树木,他再给我 1 根香蕉;运出第二根树木,他再给我 2 根香蕉;运出第三根树木,他再给我 3 根香蕉……"

小猕猴数了数筐里的香蕉是 23 根,问大象:"你吃了几根香蕉?"

大象说:"我吃了 8 根。"

小猕猴点点头说:"嗯,他一共给了你 31 根香蕉。我可以知道,你一共给他运出了多少根树木。"

"不可能!"大象摇着头说,"如果你能知道我给他运出多少根树木,我可以告诉你,还有谁去运树木了。"

"好!咱们一言为定!"小猕猴非常高兴。

摆 BAIXIANGJIAO 香蕉

小猕猴拿着香蕉，边说边摆："31 根香蕉中减去最先给你的 10 根，还剩 21 根。我把这 21 根香蕉摆成一个三角形，立刻就知道你运出了几根树木。"说着就摆出了三角形。

小猕猴指着香蕉三角形说："这里是 6 行香蕉，说明你给他运出了 6 根树木。对不对？"

"对，对。"大象弄不明白是怎么回事，"你怎么把 21 根香蕉摆成三角形，就知道我运了多少树木呢？"

小猕猴解释："三角形的第一行，是你给他运出第一根树木，他给你的香蕉；第二行是你给他运出第二根树木，他给你的香蕉。这里有 6 行香蕉，说明你给他运出了 6 根树木。"

大象趴在

小猕猴耳朵旁，小声说："还有狗熊去运树木了。"

小猕猴拿着口供说："你在口供上按一个手印。"大象乖乖地按了手印。

小猕猴对小松鼠说："咱俩去找狗熊去！"

小猕猴大侦探来到了狗熊家。"砰、砰"小猕猴一边敲门一边问道："狗熊在家吗？"

"谁呀？"狗熊开了门。

小猕猴看到院子里堆放着许多玉米，立刻警惕地问："嗬，哪来这么多玉米啊？"

狗熊解释说："自己种的，劳动所得。"

小猕猴眼珠一转，问："这一共有多少玉米？"

"玉米一多，我也数不清。"狗熊想了一下说，"刚才我想把这些玉米装进几个筐里。如果每个筐装 5 个，最后剩下 7 个；如果每个筐装 7 个，最后还差 5 个。你算算有多少玉米吧！"

小猕猴笑笑说："你想拿一个 5 和一个 7 来绕我呀！我不会上你的当。我先不求玉米数，我先把筐数求出来。"

小猕猴问："每筐装 5 个与每筐装 7 个相比，一筐多装 2 个玉米，对不对？"

狗熊点头："对！"

狗熊掰棒子

GOUXIONGBAIBANGZI

小狝猴又问："每筐装 5 个，最后还剩下 7 个；而每筐装 7 个，最后还差 5 个。把剩下的 7 个和差的 5 个相加，所得的数代表什么？"

狗熊捂着后脑勺想了想，说："不知道代表什么。"

"代表每个筐多装 2 个玉米后，所有筐多装的玉米数。"小狝猴解释说，"把 12 除以 2，12÷2 = 6，6 就是筐数。对不对？"

狗熊一数筐子，不多不少正好 6 个。狗熊佩服地说："你算得还真对！"

小猕猴继续往下算："你一共有 5×6 + 7 = 37（个）玉米。"

狗熊点点头说："对，我吃了 5 个，现在还有 32 个。"

小猕猴眼珠一转，说："我不仅能算出你有多少玉米，还知道这些玉米不是你种的！"

"什么？不是我种的！"狗熊瞪大了眼睛，"不是我种的，难道是抢的？"

小猕猴往前走了两步："和抢的差不多！我问你，你是不是帮助别人偷运过树木？"

"啊！"狗熊大吃一惊，"你有证据吗？"

小猕猴拿出拓下的脚印："这是我在现场采到的脚印，看看是不是你的脚印？"

狗熊拿过来一量，吃惊地说："嘿！你说怎么这么巧，不大不小正合适！"

小猕猴把眼睛一瞪："你还有什么说的？快交待是谁让你偷运树木？"

狗熊想了想说："我不能告诉你这个人是谁！这些玉米都是他送给我的。我答应过他，不告诉任何人。"

小猕猴严肃地说："如果你不说，我将把你作为盗伐树木的主犯，送交法庭！"

"让我先吃根玉米，考虑一下。"说着狗熊就拿起一根玉米，刚想吃，小猕猴一把将玉米夺了下来。

小猕猴说："玉米不能吃了。这些玉米是你得到的赃物！"

狗熊从口袋里掏出一张纸，递给了小猕猴："这儿是一份秘密文件，上面有盗伐树木主谋的名字。"

狐狸盖新房
HULIGAIXINFANG

小 猕猴接过一看，原来是一张纸条，上写"狐狸"两字。

小猕猴对小松鼠说："走，去找狐狸去！"

到了狐狸家，看见狐狸正在盖新房。

小猕猴对狐狸说："几个人住啊？盖这么大的房子！"

狐狸擦了一把头上的汗："现在是一个人，等新房盖好了，我再娶了媳妇，就是两个人住了。"

小猕猴指着地上的木头问："这些木料是哪里来的？"

"木料嘛……"狐狸眼珠一转，"是我自己种的。"

小猕猴又问："你狐狸一向以好吃懒做、偷鸡摸狗闻名，没听说你还种过树呀？"

"树我没种过，这些窗户和门都是我种的。"

"嘻嘻，真新鲜！我还没听说过，可以种窗户和门的！"

狐狸严肃地说："不信？我种一扇门给你看看。"说着狐狸从地上拾起 4 根小木棍。

狐狸用 4 根小木棍做成一个

长方形："这就是门的种子，我把它埋在土里，浇上点水，我再围着它转 3 圈儿，门的种子就长成大门了！我把大门挖出来。"狐狸真从土里挖出一扇木头大门。

小猕猴都看傻了："真神！"

收买大侦探

小猕猴问："你能给我种出一把椅子吗？"

狐狸摇摇头说："对不起，每天只能种出一样东西，种多了不长！"

"行啦！"小猕猴指着狐狸说，"别耍花招啦！你从山上盗伐了十几棵大树，你是用大树做的窗户和门。"

"开玩笑！"狐狸摇晃着脑袋说，"我狐狸这么瘦小，我怎么可能把那么大的树搬回来呢？"

小猕猴说："你不要再耍赖了！你用香蕉收买大象，用玉米收买狗熊，让他们给你运树木。"

狐狸厚颜无耻地说："既然我能收买大象和狗熊，为什么不能收买你呢？"

"收买我？"

"对！"狐狸说，"和你说实话吧！我偷运的树木有：8米

长的树 8 棵，12 米长的大树 4 棵，16 米长的特大树 6 棵。"

小猕猴吃惊地说："偷了那么多呀！"

狐狸笑着说："我把这些树木都截成长短一样的木头，要求没有一点剩余。我把这些锯好的木头的一半分给你，怎么样？"

小猕猴眼珠一转："我先算算，我能得到多少木头？把 8 米、12 米、16 米都截成长短相同的木头而没有剩余，必须知道这三个数的最大公约数。"他在地上写出三个算式：

$$8 = 2 \times 2 \times 2$$
$$12 = 2 \times 2 \times 3$$
$$16 = 2 \times 2 \times 2 \times 2$$

小猕猴说："它们的最大公约数是 $2 \times 2 = 4$，一共可以截得 $8 \div 4 \times 8 + 12 \div 4 \times 4 + 16 \div 4 \times 6 = 16 + 12 + 24 = 52$（根）木头。"

"算得对！"狐狸凑上前问，"我分给你一半，就是 26 根，足够你家盖一栋新房子的。怎么样？"

小猕猴把眼睛一瞪，厉声喝道："坏狐狸！想收买我，没门儿！你因犯盗伐树木罪，被捕啦！"

"不好！快跑吧！"狐狸撒腿就跑。

跑了好一阵子，回头看不见小猕猴了。狐狸停下来休息："嘿嘿，你小猕猴哪有我跑得快？"

突然从头顶的树上，放下一个绳子套，一下子套住了狐狸的脖子。小猕猴在树上说："坏狐狸，看你往哪里逃？"

狐狸大叫一声："完了！"

计划抢劫
JIHUAQIANGJIE

小狝猴侦破了盗伐树木的大案,大侦探的名字在大森林里叫得非常响。

一天,小狝猴看见山猫和大灰狼在一起偷偷议论着什么。他俩看见小狝猴走了过来,大喊:"大侦探来了!"吓得撒腿就跑。

"跑什么呀?"小狝猴很奇怪。走上前去一看,只见地上写着一首打油诗:

> 小兔分梨乐呵呵,
> 每人7个剩9个,
> 每人9个差7个,
> 小兔几只梨几个?

小狝猴想:这是什么意思?我看山猫和大灰狼没安好心!我必须到白兔家侦察清楚。

小狝猴来到白兔家,看见白兔一家正在忙活着。小狝猴说:"大白兔,你们家好热闹啊!"

大白兔笑着说:"今天晚上,大灰兔一家要来做客。"

"噢?"小狝猴立刻警惕起来,他问:"大灰兔一家要来多少口啊?"

"这我可不知道。"大白兔说着拿出一封信,"大灰兔昨天托人带来一封信。说来多少客人让我自己算。"

小猕猴接过信一看,大惊失色。

原来信上写的正是刚才看见的那首打油诗。

小猕猴忙问:"这封信是谁送来的?"

"是小绵羊。"

小猕猴立刻去找小绵羊:"小绵羊,你快告诉我,是谁让你把信送给大白兔的?"

小绵羊哆哆嗦嗦地说:"是大灰兔让我把信送给大白兔的。半路上遇到了山猫,山猫把信拆开看了,还警告我,不许告诉任何人他看过了信。"

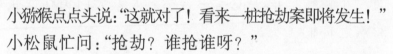

小猕猴点点头说:"这就对了!看来一桩抢劫案即将发生!"

小松鼠忙问:"抢劫?谁抢谁呀?"

"山猫和大灰狼要合伙抢劫大灰兔一家。"小猕猴说,"首先是抢劫小灰兔。我需要把小灰兔的个数立即算出来。"

小猕猴拿着信琢磨:"每只小灰兔分 7 个梨,就多出 9 个梨来;每只小灰兔如果分 9 个梨,又少 7 个梨。这样一多一少,相差 9 + 7 = 16(个)梨。"

小绵羊问:"为什么会差 16 个梨呢?"

"就是每只小灰兔多分 2 个梨造成的。"小猕猴说,"每只小灰兔多分 2 个,就差了 16 个,说明小灰兔一共有 16 ÷ 2 = 8(只)。"

蒙面抢劫

MENGMIANQIANGJIE

小松鼠说:"咱们不能看着这两个坏蛋,抢劫8只可爱的小灰兔!"

"对!咱们立即通知大灰兔去!"小猕猴和小松鼠转身就奔大灰兔家。

大灰兔听说山猫和大灰狼要在半路上抢劫小灰兔,吓得没了主意。他说:"那我们就不去大白兔家了。"

小猕猴摇摇头说:"不合适。人家大白兔在家张灯结彩欢迎你们去呢!"

大灰兔着急地说:"那可怎么办?"

小猕猴趴在大灰兔耳朵上,小声说:"咱们这样,这样……"

大灰兔点点头:"好主意!"

大灰兔收拾了一下,拉上一辆带篷的车,朝大白兔家走去。车里面不断传出小灰兔的打闹声。躲在树后面的山猫和大灰狼,看见车子过来了,争先恐后地冲

了上去。

"吃小灰兔啊!嗷——"

"每人分4只!喵——"

山猫打开车篷,刚想钻进去,突然从里面伸出两支乌黑的枪口。"两个强盗,不许动!"小猕猴手拿着两支枪,从车里走了出来。

大灰狼大叫一声:"哇!这下可完了!"

小猕猴刚刚到家,小鹿慌慌张张地跑了进来。他对小猕猴说:"不好了!我家昨晚被蒙面人抢劫了!"

小猕猴忙问:"他们有几个人?"

"好像是两个人,一个在屋里抢东西,另一个在外面望风。"

小猕猴跟着小鹿到了作案现场。小鹿指着两个空筐说:"这两筐苹果被抢走了!"

　　小猕猴拿出放大镜仔细察看这两个筐。他从筐上摘下一根毛："看，这是强盗留下的毛。"

　　小鹿指着桌上的一瓶酒说："原来这里有 4 瓶草莓酒，他们抢走了 3 瓶。"

　　小猕猴用放大镜认真观察酒瓶："这酒瓶上留有强盗的手印。好，我把这些罪证记下来，回去展开侦查。"

　　小猕猴走在路上，看到狐狸搀着野猪晃晃悠悠地往前走，野猪边走边唱。

　　小猕猴问："野猪，你怎么啦？"

　　野猪半睁着眼睛说："我……没怎么着，我没喝醉！没醉！"说着冲小猕猴喷了一口酒气。

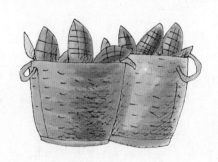

几根筷子
JIGENKUAIZI

"**你**没醉？"小狝猴问，"我问你一个问题：黑色、红色、黄色的筷子各有 8 根，混杂地放在一起。黑暗中想从这些筷子中取出颜色不同的两双筷子，至少要取出多少根？"

野猪回答："两瓶！"

"啊？两瓶？取两瓶筷子？"小狝猴十分震惊。

狐狸捅了一下野猪："你瞎说什么呀！大侦探问你的是筷子！"

"噢，是筷子。"野猪又改口，"两瓶不对，是两筐！"

"啊？两筐筷子？"小狝猴连连摇头。

狐狸赶紧说："大侦探，你别听他胡说八道，还是由我来回答吧！要保证能取出颜色不同的两双筷子，至少要取出 11 根筷子。"

野猪在一旁打岔："为什么要 11 根，而不是 8 根？"

"我来算，你老实听着，别打岔！"狐狸狠狠瞪了野猪一眼，"如果取 8 根，

按最倒霉的情况，这 8 根都是同一种颜色，比方说全是黑色。这时肯定有了一双黑筷子。"

野猪打岔说："我才不倒霉呢！吃苹果、喝酒都不用筷子！"

狐狸又狠狠瞪了野猪一眼："我再取两根筷子，一种

可能是这两根筷子是同一种颜色，比方说都是红色。这时我就取到了一双黑色、一双红色的筷子了。"

小猕猴问："如果你取出的两根筷子是一根红的，一根黄的呢？"

"那我就再取一根。如果这根是红色的，就得到一双红色的筷子；如果这根是黄色的，就得到了一双黄色的筷子。总之，我取 11 根筷子，肯定可以得到两双颜色不同的筷子。"

小猕猴一指野猪："看来，你喝的草莓酒比狐狸多！"

野猪把脖子一梗："狐狸吃的苹果可比我多！"

"对！"小猕猴点点头说，"你们俩从小鹿家抢走了 3 瓶草莓酒和两筐苹果，足吃足喝！"

野猪睁大了眼睛："呀！你都知道了！"

小猕猴厉声说道："你们快把抢走的草莓酒和苹果交出来！"

野猪对狐狸说："狐狸，你快去把酒和苹果藏起来！"

狐狸答应一声："野猪，你拉住小猕猴别撒手！"

"你敢顽抗！我先把你铐起来！"小猕猴掏出手铐，"咔嚓"一声就把野猪铐了起来。

野猪连忙求饶："大侦探饶命！这都是狐狸叫我干的！"

豹 狼之争
BAOLANGZHIZHENG

小猕猴掏出"大哥大":"小松鼠、小鹿请注意,狐狸正朝你们所在的方向逃去!"

小松鼠回答:"我们已经准备好绊马索,一定能活捉狐狸!"

狐狸边跑边回头:"野猪当了俘虏,我快逃吧!"跑着跑着,一下子绊在绊马索上,"扑通"一声来了个嘴啃泥。没等狐狸站起来,小松鼠和小鹿飞快地跑上去,把狐狸给捆了。

狐狸见到小猕猴,非常不服气:"你有什么证据,肯定我参加了抢劫?"

小猕猴拿出一根毛和一张纸:"这是在现场取得的物证。经化验,这根毛就是你的毛,这手印也是你的手印!"狐狸低下了头。

小猕猴把野猪和狐狸送进监狱,刚想回家休息一会儿,小松鼠跑了过来:"大侦探,不好了!一群豹和一群狼打起来了!"

"快去看看!"小猕猴和小松鼠一起赶去,到了现场,只见几只豹和几只狼正打得不可开交。

一只领头的豹大叫:"嗷——,我要咬死你们!"

领头的狼也大叫："嗷——,让你尝尝狼的厉害吧!"

小猕猴掏出手枪,"砰!"朝空中放了一枪:"不要打啦!"双方看见小猕猴来了,也就停手了。

小猕猴问领头豹:"你们为什么和狼打架?"

领头豹说:"有4头小猪被狼抢着吃了!"

领头狼反驳说:"他胡说!小猪是被他们豹子吃了!"

"你胡说!""你胡说!"说着豹和狼又要打起来。

"不许打架!"小猕猴又一次拉开了豹和狼,"谁告诉你们有4只小猪的?"

豹拿出一封信:"我这儿有情报!"

狼也拿出一封信:"我也有情报!"

小猕猴把两封信打开一看:"啊!两封信一模一样。"

信的内容是:"上午8点,有几只小肥猪从大槐树下经过,快去抓!"

小猕猴问豹:"你说有几只小肥猪?"

"4只呀!"

小猕猴又问狼:"你说有几只?"

"当然是4只!你看上面画的是4只肥猪嘛!"

"哈哈!你们都被人家骗了!"小猕猴说,"实际上是0只肥猪!"

81

0只小肥猪

豹大吃一惊："怎么会一只肥猪也没有呢？"狼说："这信上明明画着 4 只肥猪嘛！"

小猕猴解释说："这是一道数学题。画的肥猪是代表肥猪的数量，如果用 x 代表肥猪的数量，这幅画可以变成一个熟悉的式子：

$$x \times x + x \div x = 1,$$
$$x \times x + 1 = 1,$$
$$x \times x = 0,$$
$$x = 0。"$$

豹大叫一声："0 只肥猪，让我们去抓什么？"

狼吼道："抓住送情报的家伙，我把他吃了！"

小猕猴自言自语地说："这份情报会是谁写的呢？"

狼说："这家伙的数学一定特棒！"

小猕猴摇摇头："棒什么呀！他连题目都出错了。既然 $x = 0$，就不应该出现 $x \div x$，因为 $0 \div 0$ 是不允许的！"

豹逞强说："我知道，0不能当分母！0不能当除数！"

狼突然想起来什么，他说："哎，我觉得有一个家伙非常可疑，你们随我来！"

小猕猴、豹跟随狼来到一块空地，看见黄鼠狼正和几只野狗在分肉饼。小猕猴让豹和狼暂时先藏起来。

黄鼠狼手上托着一摞肉饼，说："把这7个肉饼平均分成10份，每份分得同样大小的两块，谁会分？"

一只野狗问："咱们一共是9个人，为什么要分成10份？"

"这个问题很简单。"黄鼠狼说，"谁会分就奖给他两份肉饼，这样9个人就需要10份了嘛！"

另一条野狗催促说："快分吧！一会儿让豹和狼知道了，咱们一份也别想要！"

"哈哈。"黄鼠狼得意地说，"你放心！我让豹和狼打起来了。现在正打得不可开交，没工夫管这儿。"

黄鼠狼见野狗们都不会，他笑呵呵地说："你们不分，我就分了。先拿出5个肉饼，把每个肉饼都分成两块；再把剩下的两个肉饼，每个分成5块，这样就分成了10份，每份都是一大一小两块饼。"黄鼠狼把饼切好以后，就拿走两份。

黄鼠狼对野狗们说："我会分，当然我拿两份了。"

黄鼠狼刚要离开，只听有人叫道："别走！"黄鼠狼扭头一看，是小猕猴来了。

"啊！"黄鼠狼吓得目瞪口呆。

我会算卦

WOHUISUANGUA

小猕猴问黄鼠狼:"你怎么知道狼和豹正在打架?"

"这个……"黄鼠狼眼珠一转说,"噢,我会算卦。我算出来的!"

小猕猴又说:"今天有人报案,说丢了几只肥猪,你算算是谁偷走的?"

"我来算算。"黄鼠狼开始装神弄鬼,"天灵灵,地灵灵,谁把肥猪吃干净?大花豹、老灰狼抢吃肥猪不留情!我算出来了,是豹和狼。"

"嗯。"小猕猴点点头说,"你再算算,总共丢失了几只肥猪?"

黄鼠狼眼珠又一转:"算是可以算出来,只是不能直接告诉你得数。"说着就写出一个式子:

黄鼠狼说:"只要你能算

84

出式子中猪所代表的数字,就知道丢了几只肥猪。"

小猕猴冷笑了一声:"此乃雕虫小技,由于猪和鼠都代表一位数,可以肯定加在十位上的猪等于 4 ,而个位数上的鼠等于 5 。"

黄鼠狼见小猕猴算得如此之快,感到十分惊奇:"猪为何得 4 ,我不明白,请大侦探说明道理。"

小猕猴说:"由于鼠不可能是小于 4 的数,否则,百位上相减不可能得 1 。由于鼠不能小于 4 ,所以个位上的猪必须向十位上借 1 。十位上被借走 1 ,就变成 2 了,这时就有算式

$$12 - 猪 = 8 ,$$

$$猪 = 12 - 8 = 4 。"$$

黄鼠狼十分肯定地说:"大侦探算得对!是丢了 4 只肥猪。"

"不对!"小猕猴一口否认,"丢的肥猪数不是 4 只,而是等于乘积 $1×2×3×4×5×6×7×8×9$ 的最后一位数。"

黄鼠狼看着这一长串数的乘积,叫道:"哎呀!这 9 个数连乘,乘积该有多大呀!我可乘不出来。"

小猕猴瞥了他一眼:"我猜你的数学也不怎么样!要知道最后一位数,根本用不着真的去乘。"

黄鼠狼忙问:"不乘怎么会知道?"

"由于乘数中有一个 2 ,还有一个 5 ,而 $2×5 = 10$,可以肯定最后一位数是 0 。"小猕猴说,"实际上一只肥猪也没丢!"

黄鼠狼关心地问:"豹和狼打得怎么样了?"

小猕猴说:"唉,两败俱伤!"

送交法庭
SONGJIAOFATING

"哈哈！豹和狼都死了，我的计划成功了！"黄鼠狼高兴极了，"今后在大森林里，我黄鼠狼就可以称王称霸了！"

黄鼠狼仔细想一想：小猕猴会不会骗我呀？我要亲自去看看，豹和狼是不是真死了。

黄鼠狼走到森林的一头，果然看见狼和豹都躺在地上，一动也不动。黄鼠狼走过去，每人踢了一脚："看你们还横不横了？这次总算都让我给治死了！"

突然，豹蹿起来叫道："我没有死！"

狼也蹦了起来："我还活着呢！"

豹和狼一起揪住了黄鼠狼，问："两份情报是不是都是你送的？"

黄鼠狼倒也不怕，他点点头说："不错，情报是我写的，也是我送的。可是情报里明明白白写的有 0 只肥猪，谁让你们不懂数学呢！"

小猕猴走了过来，对黄鼠狼说："黄鼠狼，你挑拨森林里的动物互相残杀，我把你送交法庭，要依法惩处！"说完给黄鼠狼戴上了手铐。

黄鼠狼长叹了一口气："嗨！下一步弄死狗熊和老虎的计划,看来要延期执行了。"

今天法庭开庭审判黄鼠狼挑拨豹和狼打斗一案。

庭长大象坐在审判庭最高的位置,他宣布："现在开庭！带证人出庭！"

小猕猴站到了证人席上,他说："我是证人。黄鼠狼挑拨豹和狼打斗的整个过程我都在场。"

经过审判,大象最后宣布："黄鼠狼犯了挑拨离间罪,判处黄鼠狼蹲鸡笼子3天,不给饭吃！"

小猕猴疑惑地问："庭长,鸡笼子能关得住黄鼠狼吗？"

大象说："大侦探,你放心！这是加密的鸡笼子,黄鼠狼有天大的本领,也别想逃出去！"

黄狗警察将黄鼠狼关进了鸡笼子："老实在里面呆3天！"

黄鼠狼点点头："我一定老实。"

第二天一早,黄狗发现鸡笼子里空了。

黄狗警察赶忙来找小猕猴："大侦探,不好了！黄鼠狼逃走了！"

"啊！"小猕猴大吃一惊,"黄鼠狼真有本领,一个小洞,他也能钻过去！走,咱们去追捕黄鼠狼！"

追捕黄鼠狼

ZHUIBUHUANGSHULANG

小猕猴见到地上有一封信,感到十分奇怪:"这是谁掉的信?"说着把信打开,信上写着:

大侦探:

我过了河将照直往前走若干千米等着你。千米数的两倍是个两位数。如果把这个两位数写在纸上,倒过来看,就变成千米数的自乘了。

欢迎来找我。

黄鼠狼

黄狗看完信,摸着后脑勺说:"这个问题可真难呀!我连看都看不懂。"

小猕猴也摇了摇脑袋:"是不容易,要好好琢磨一下。"

突然小猕猴问黄狗:"你说什么样的不是零的一位数倒过来看,还是数?"

"嗯——"黄狗想了一下,"应该是1,6,8,9这四个数。"

"对,咱们就研究这四个数。"小猕猴边说边写,"1的

两倍是 2 , 6 的两倍是 12 ,而 2 和 12 倒过来看就不是数了。"

黄狗点头:"对,肯定不是 1 千米和 6 千米。"

小猕猴又算:"8 的两倍是 16 , 9 的两倍是 18 ,把 16 和 18 倒过来看分别是 91 和 81 ,它们都是数。"

黄狗高兴地说:"有门儿!"

"下面检查一下,是不是这个数的自乘?"小猕猴说,"8 × 8 = 64 ,显然不等于 91 ; 9 × 9 = 81 ,嗨! 9 正合适!"

小猕猴一挥手:"追! 过河再追 9 千米!"两个人过了河,快步向前追去。

追到 9 千米处,根本不见黄鼠狼的影子。

黄狗警察问:"到了 9 千米了,怎么不见黄鼠狼啊?"

小猕猴一指地面:"你看看这是什么?"只见地上画有 7 个圆圈,每个圆圈里都写着一个英文字母。在圆圈的下面还写着几行字:

大侦探:

我将往右走 G 千米等着你。请将 1 ~ 7 填进 7 个圆圈中,使每条直线上的 3 个数之和相等。并且使 $A + C + E = B + D + F$。

黄鼠狼

黄狗生气地说:"嘿,这个可恶的黄鼠狼! 总出题考咱们,抓住他,给他加刑 3 天!"

89

谁杀死了小白兔

SHUISHASILEXIAOBAITU

"**做**难题一定要注意观察。"小猕猴说,"你看,1~7这7个数中,两两之和相等的会是哪些呢?"

黄狗说:"我看出来了,是 1 + 7 = 2 + 6 = 3 + 5 = 8。"

"很好!"小猕猴说,"还剩下一个 4,就把 4 放在中间的圆圈里,试试看。"说着就填出一个图。

黄狗仔细看了看图,摇摇头说:"不对,不对。3+4+7=14,而 1 + 4 + 5 = 10,这两条直线上的数之和不相等呀!"

"我再改一下。"小猕猴重又填了一次,"这么一填,就有 1 + 4 + 7 = 2 + 4 + 6 = 3 + 4 + 5 = 12,好,填对了!"

"走,咱们向右走 4 千米。"黄狗警察走在了前头。

走到 4 千米处,果然看见黄鼠狼坐在那里等着他们。黄鼠狼说:"既然你们算出来了,我就跟你们回去。"

黄狗警察给黄鼠狼戴上手铐,拉着他返回监狱。

半路上,遇到了小松鼠。小松鼠紧

张地对小猕猴说:"你听说了吗?小白兔被人杀了!"

"啊!"小猕猴一惊。

法庭上,大象正在审讯老虎和狐狸。

大象问:"小白兔是不是你们杀死的?"

老虎摇摇头说:"不是我杀死的。"

狐狸晃悠着脑袋说:"法官大人,如果是我杀死的,我一定把小白兔吃了!谁不知道,我狐狸最爱吃兔子?可是,小白兔身上连一块肉都不少!"

没办法,大象传话:"请小猕猴大侦探速来侦破此案!"话音刚落,小猕猴已经走了进来。

大象对小猕猴说:"小白兔被杀,可是尸体完整无缺。"

小猕猴说:"我先去现场看看。"

小猕猴由黄狗警察陪同,来到了小白兔家。进屋一看,小白兔倒在地上,屋里的东西摆放得十分整齐。

小猕猴在屋里转了一圈儿:"现场没有搏斗的迹象。"

黄狗认真察看了小白兔的尸体:"身上也没有伤痕。"

小猕猴说:"仔细察看地上的脚印!"

　　黄狗仔细地查了一遍："地上都是兔子的脚印。"

　　"噢，再辨别一下屋里的气味！"

　　黄狗各处闻了一遍："有问题！这屋里有另外两只兔子的气味。"

　　小猕猴打开柜子，发现柜子里面有许多酒瓶子，还有一张纸条。小猕猴兴奋地说："快来看这个！"

小花兔也死了
XIAOHUATUYESILE

黄狗拿过纸条一看,只见上面写着:

"这24个酒瓶中,11瓶是整瓶的酒,5瓶是半瓶酒,8瓶是空瓶。不倒出瓶中的酒,把这些酒瓶分给3只兔子,使得每只兔子都得到同样多的酒瓶和同样多的酒。"

黄狗的意见是,兔子们在做数学游戏。但是,黄狗不会分。

"可以先算出总共有多少瓶酒:$11 + 0.5 \times 5 = 13.5$(瓶)。"小猕猴说,"13.5瓶酒被3只兔子分,每只兔子分$13.5 \div 3 = 4.5$(瓶)。"

黄狗摇摇头,说:"我还是不会分。"

小猕猴说:"有两只兔子各分4瓶整瓶的酒,1瓶半瓶的酒,另加3个空酒瓶子。第三只兔子分3瓶整瓶酒,3瓶半瓶酒和2个空酒瓶子。这样一来,每只兔子都分得了4.5瓶酒,8个酒瓶子。"

黄狗警察检查了柜子里的酒:"大侦探,柜子里还剩3个整瓶和一个半瓶酒。"

"这么说,小白兔喝了整整一瓶酒!"小猕猴肯定地说,"小白兔是死于酒精中毒。"

这时,大象匆匆赶来:"不好了!小花兔也死了!"

小猕猴和黄狗警察又急忙赶到小花兔家,看到的是,屋里整齐,小花兔身上无伤,死得和小白兔一样。

小猕猴立刻命令黄狗:"检查一下小花兔家的酒瓶子。"

"是!"黄狗立刻检查,"报告,8个酒瓶子,其中2瓶整的,3瓶半瓶,3个空瓶。"

"小花兔也喝了整整一瓶,他也是酒精中毒而死!"小猕猴又命令,"必须找到第三只分到酒的兔子!"

黄狗答应一声,立刻跑了出去。没过多久,黄狗就跑了回来。他报告:"查到了,小黑兔家有8只酒瓶子。"

小猕猴忙问:"小黑兔死了吗?"

"没有,他正在家里吃饭。"

"走,找小黑兔去!"

到小黑兔家,小猕猴查看了酒瓶子,发现有3瓶整瓶,5瓶空瓶:"小黑兔,你好酒量哪!"

小黑兔笑了笑:"酒量一般,我喝了1瓶半,好酒!酒味纯正。"

小猕猴逼问:"你为什么没有酒精中毒?"

突然,小鼹鼠醉醺醺地从地下钻了出来:"他小黑兔没有中毒,我可中毒了!"说完"扑通"一声倒在了地上。

一个大怪物

小狝猴赶紧扶起小鼹鼠："你说说这是怎么回事？"

小鼹鼠说："我来找小黑兔玩，我刚从他们家地下钻出来，就看见小黑兔在喝酒。也不知为什么，他边喝边往外洒。我一看，这酒洒了多可惜呀！我就跑到下面去接，结果我喝了不少酒。"

小狝猴问小黑兔："你为什么让小白兔和小花兔喝酒，而你偏偏不喝？"

"这个……"小黑兔吞吞吐吐地说，"因为我知道酒喝多了，会酒精中毒。"

"你既然知道酒喝多了，会酒精中毒，你为什么不告诉他俩？"小狝猴继续追问。

"别人都说小白兔白，小花兔花，长得好看，而说我黑不溜秋的，真难看！出于嫉妒，我就没有告诉他俩，我有罪！"小黑兔痛苦地低下了头。

小狝猴说："你在家呆着不许出去！听候法庭传讯！"

小黑兔连忙点头："是，是。"

侦破了兔子被害案，小狝猴正往法庭走，突然看见大灰狼狂奔而来，边跑边喊："大怪物！大怪物！"

小猕猴拦住大灰狼,问:"什么大怪物?"

"吓死人啦!牛头,狐狸尾,还长有4条小细腿。"说完往后看了一眼,撒腿就跑。

过了一会儿,山羊、小鹿、兔子也都来报告发现了大怪物。

夜晚,小猕猴藏在大树上,等着大怪物的出现。忽然听到"吱"的一声,大怪物来了。大怪物走到大树下停了下来。

大怪物的头说:"走半天了,在这儿歇会儿。"

大怪物的尾说:"好的。"

小猕猴感到奇怪,这个大怪物的头和尾怎么都会说话?

大怪物头又说:"第一次咱俩捉了5只鸡,每只都是8斤,放到你家了。"

大怪物尾说:"第二次捉了6只鸡,每只都是4斤,可

都放你家了。"

小猕猴自言自语:"这个大怪物还专门捉鸡。"

大怪物头情绪有点激动:"放在你家的鸡多,你应该给我几只!"

大怪物尾也不甘示弱:"给你几只?门儿都没有!咱俩分得要斤数相等。我先算出总重量:$8 \times 5 + 4 \times 6 = 64$(斤),咱俩各一半是 $64 \div 2 = 32$(斤)。"

大怪物头说:"放在我家的鸡才 $4 \times 6 = 24$(斤),还差 8 斤,你应该给我一只 8 斤的鸡才对!"

大怪物尾说:"你跟我回家去取。"说完大怪物尾在前、头在后就走了。

小猕猴惊奇地说:"这个大怪物还会倒着走?"

大怪物现形
DAGUAIWUXIANXING

小猴看到大怪物倒着走了，赶紧跟了上去。大怪物没走几步，突然停下来。

大怪物尾说："不能到我家去。这几天小猕猴大侦探正在抓咱们大怪物哪！我一回家就容易暴露。"

大怪物头急了："你是不是不想给我鸡？不去不成！"

大怪物尾也不示弱："我就是不去，看你怎么样！"

大怪物头大吼一声："让你尝尝我的厉害！嗷——"一下子就把披在外面的伪装扯了下来。小猕猴定睛一看，原来大怪物不是别人，是狐狸和黄鼠狼伪装的，狐狸伪装大怪物的头，黄鼠狼伪装大怪物的尾。

扯下了伪装，狐狸和黄鼠狼就打成了一团。

小松鼠站在树上叫道："快来看哪！大怪物发疯了！"小松鼠这一喊，惊动了狐狸和黄鼠狼。

狐狸说："别打啦！有人发现咱们啦！"

黄鼠狼也害怕了："快跑吧！别让人发现咱俩的秘密！"

黄鼠狼刚要跑，狐狸拉住了他："别跑，你欠我的鸡还没给我呢！你跑了，我到哪儿找你去？"

黄鼠狼着急地问："你说怎么办？"

狐狸说:"我出一道题,如果你答对了,那只鸡我就不要了!"黄鼠狼倒也痛快:"如果我答不出来,我给你两只鸡!"

"好,一言为定!"狐狸说,"我原本想偷100只鸡,把他们分6个地方藏起来。要求每个地方鸡的数目都要有数字6,你会分吗?"

黄鼠狼的数学可不错,他眼珠一转:"我会分了,60 + 16 + 6 + 6 + 6 + 6 = 100(只)。怎么样?我那只鸡不用给你了吧!"

小松鼠对小猕猴说:"原来是狐狸和黄鼠狼在装神弄鬼!"

小猕猴小声对小松鼠说:"你这样,这样……"小松鼠点点头。

小松鼠先跳到左边的一棵松树上,大声叫道:"不好啦!狐狸家着火啦!"

狐狸一听就着急了:"我快回家看看,家里还有6只

鸡呢！"

　　黄鼠狼刚想幸灾乐祸，突然听到小松鼠在右边的大树上喊："不好啦！黄鼠狼家被水淹了！"

　　"啊！"黄鼠狼大惊失色，"我家还有 5 只大肥鸡呢！"说完撒腿就往家跑。

　　没想到，在狐狸家等着他的是大象法官；在黄鼠狼家等着他的是黄狗警察。一对大坏蛋，一个也没跑掉。

李毓佩数学故事系列

熊虎决斗

胖熊求婚
PANGXIONGQIUHUN

天不亮,瘦猴就被一阵刺耳的哭声惊醒。

"是谁这么讨厌,天不亮就嚎上啦!"瘦猴一翻身,"噌"的一声,从树上跳了下来。他循声找去,发现胖熊坐在一棵大树下面号啕大哭。

瘦猴推了一把胖熊,问:"嘿、嘿,有什么伤心事不能等天亮了再哭?"

胖熊抹了一把眼泪,又擦了一把鼻涕,说:"我昨天向我心爱的小母熊求婚,她给我出了一道天大的难题,我不会做。她说不会做就不嫁给我!你说我怎么办?呜——哇——"说完又哭嚎起来。

"行啦!再哭,全树林的动物都被你吵醒了。"瘦猴问,"你说说,这天大的难题是什么题?"

胖熊说:"我说完了,你一定帮我做出来!"

瘦猴点点头说:"我尽力帮忙。"

"小母熊说,我已经是第三个求婚者了。她有一篮子苹果,她把这篮苹果中的一半再多1个给了第一个求婚者;把余下的一半再多1个给了第二个求婚者;她准备把余下的苹果分成两半,把其中的一半加3个苹果分给我,

苹果恰好分完。问我原来篮子里有多少苹果。"胖熊站起来问，"这题你会算吗？"

瘦猴皱着眉头，故作为难地说："这题真难啊！"

胖熊赶紧笑脸相赔说："你帮我做出来，我把得到的苹果分你一半，怎么样？"

瘦猴一伸手："给我 3 个苹果！"

胖熊不高兴地说："你还没算，就要苹果？"

"谁说我没算？从 3 个苹果开始，我用倒推法给你算！"瘦猴一指胖熊问，"她是不是把最后剩下的苹果分成两半？"

胖熊回答："对呀！"

"把其中的一半加 3 个给你，苹果恰好分完。说明这一半就是 3 个苹果，分给你的是 6 个苹果。对不对？"

胖熊摸了摸脑袋，点了点头："对、对，是 6 个。我分给你一半正好是 3 个。"

瘦猴接着分析："分给第二个求婚者时，她是把篮子里的苹果先分成两半，给人家一半还多 1 个，剩下的 6 个是一半少 1 个，一半就是 6 + 1 = 7（个）。因此，分给第二个求婚者之前，篮子里还有 7 × 2 = 14（个）苹果。再往前推，她原来篮子里有（14 + 1）× 2 = 30（个）苹果。"

胖熊掰着指头算了起来："她给第一个求婚者 16 个苹果，给第二个求婚者 8 个苹果，只给我 6 个苹果，我还要分给你一半。我太亏了。"

胖熊结婚
PANGXIONGJIEHUN

"**胖**熊要结婚啦！"喜讯像春风吹遍了树林。胖熊特邀瘦猴帮助操办婚礼，瘦猴也很乐意帮忙。

胖熊从外面背来一口袋花生，冲瘦猴嚷嚷道："客人来了，先请他们吃花生，让客人来个满嘴香！"

"恭喜！恭喜！"随着一阵杂乱的脚步声，第一批客人来了。

"吃花生！吃花生！"胖熊把花生分给客人，每人正好 12 粒。

"慢着！慢着！先别吃！"瘦猴赶紧把花生都收了回来。

胖熊不明白，问："为什么不让吃？"

瘦猴埋怨说："你现在把花生都分了，呆一会儿再来客人吃什么？"

胖熊点点头："对、对，等会儿再分！"

第一批客人都去看新房了，紧跟着第二批客人来了。胖熊非常高兴，把客人请进屋，拿出花生分给第二批客人："吃花生，香香嘴！"每人恰好分到 15 粒。

瘦猴一看，又急了。他对第二批客人说："对不起，要先

看新房,后吃花生!"等客人一走,瘦猴赶紧把花生又收了起来。

等第三批客人到来后,胖熊再一次把花生分给了客人,每人分得 20 粒。这时前两批客人回来了,三批客人聚在一起,有人有花生,有人没花生,没有花生的客人就不高兴了。

大老虎一拍桌子吼道:"我是第一批来的,为什么不给我吃花生?"

老狼一跺脚,嚎道:"我是第二批来的,可是第三批来的反而吃上花生了。这是什么道理?胖熊,你给我说个清楚!"

胖熊急得满头大汗,搓着双手满屋乱转,嘴里不停地说:"真对不起大家!"

瘦猴站出来说:"大家静一静,花生每人都有份。请第三批客人先把花生交出来,我再平分给大家。"

狐狸"嘿嘿"一阵冷笑说:"平均分?说得容易!你必须先告诉我,平均分之后我能分到几粒?否则,我们不交花生!"

瘦猴说:"你难不倒我!我虽然不知道花生总数是多少,但通过 3 次分花生的结果,我可以肯定花生的总数可以被 12,15,20 整除。根据 12,15,20 的最小公倍数是 60,可以设花生总数为 $60x$,那么,第一批客人人数为 $60x \div 12 = 5x$,第二批客人人数为 $60x \div 15 = 4x$,第三批客人人数为 $60x \div 20 = 3x$。三批客人的总数是 $5x + 4x + 3x = 12x$,由 $60x \div 12x = 5$,可以知道每人能分到 5 粒花生。"

狐狸还想说什么,胖熊一瞪眼,吓得狐狸赶紧把手中的 20 粒花生交了出来。每位客人吃完 5 粒花生之后,婚礼开始了。

XIAOXIONGSHANGXUE
小熊上学

时间过得真快呀！胖熊结婚，又有了孩子——小熊。小熊也开始上学啦！

一天早上 7 点，小熊背起书包上学去。8 分钟后，胖熊发现小熊忘记带书了。"没有书怎么成？"胖熊拿起书立即去追，在离家 4 千米处追上了小熊。

胖熊批评小熊说："怎么总丢三落四的！上学连书都不带？！"

小熊低着头，小声说："对不起，我的作业本也忘带了。"

"啊！你赶紧往前走，我回家给你去取。"说完胖熊就往家跑，到家拿起作业本又去追小熊，在离家 8 千米处第二次追上了小熊。

小熊问："爸爸，现在几点啦？我们 7 点 30 分上课，我会不会迟到？"

胖熊摇摇头："我可不知道时间。"

"如果迟到了，我就不去了！"小熊开始耍赖。

胖熊气愤得要打小熊，小熊一屁股坐在地上，蹬着腿哭闹起来。

"嗖"的一声，瘦猴从树上跳了下来，问："这是怎么

啦？"说着抱起小熊。小熊哭着喊着问现在几点了。

"让猴叔叔给你算算啊！"瘦猴说，"你7点从家出来的，一共走了8千米，只要知道你的速度，就可以求出时间来。"

小熊不哭了，他说："我并不知道自己的速度呀？"

瘦猴解释："虽然不知道你的速度，但你爸爸又给你送书，又给你取作业本，通过你爸爸来回这么一折腾，就能够求出你的速度来。"

"真的？"小熊高兴了。

"你爸爸从离家4千米处和你分手后，到第二次追上你，一共走了 4 + 8 = 12（千米），而在这段时间里你只

走了 4 千米。因此,你的速度是你爸爸的 $4 \div 12 = \frac{1}{3}$。"瘦猴很耐心地给小熊讲。

小熊问:"可是这里面缺少时间呀?!"

"小熊还挺聪明!"瘦猴拍了拍小熊的脑袋说,"你爸爸发现你忘记带书时已经是 7 点 8 分了。他第一次追上你在 4 千米处,在他追你这段时间里,你走的路程只有他所走路程 4 千米的 $\frac{1}{3}$,也就是 $4 \times \frac{1}{3} = 1\frac{1}{3}$(千米)。因此你在前 8 分钟走了 $4 - 1\frac{1}{3} = 2\frac{2}{3}$(千米),平均每分钟走 $2\frac{2}{3} \div 8 = \frac{1}{3}$(千米),这就是你的速度。"

小熊说:"有了速度,我会求时间。我一共走了 8 千米,速度是每分钟 $\frac{1}{3}$ 千米,$8 \div \frac{1}{3} = 24$(分)。啊,现在是 7 点 24 分了,还有 6 分钟就要上课了,我要赶紧走了。叔叔再见!"

XIAOXIONGBAOXIN
小熊报信

老虎见胖熊的小日子过得挺红火,气不打一处来,心想:"我是森林之王,怎么我的日子反而没有你胖熊过得好?!"老虎命令兔子给胖熊送个信,约胖熊明天早上 8 点同时和老虎从各自的家出发,相向而行,相遇后进行决斗,要分出个高低,斗个你死我活!

胖熊是真正的男子汉,他勇敢地接受了挑战。小熊要跟着爸爸去决斗。

第二天早上 8 点,胖熊带着小熊准时出发,向老虎家的方向进发。小熊灵机一动,说:"爸爸,我跑得快,先去探听一下老虎的情况。"说完一溜烟地跑走了。胖熊继续往前走。

过了一会儿,小熊气喘吁吁地跑了回来,对胖熊说:"糟啦!糟啦!老虎不是一个人,后面还跟着一个坏狐狸呢!"

"啊!"胖熊听说狐狸也跟着来了,不禁心头一震,心想:"我不怕横的,就怕出坏主意的!"

"我再去看看!"小熊说完又跑了。

转眼间小熊又跑了回来,他说:"老虎和狐狸离咱们不远了,爸爸你快做好准备!"说完一转身又没影了。

小熊来回跑了好几次,胖熊和老虎终于见面了。胖熊问:"老虎,咱俩怎么个决斗法?"

"不着急决斗。"狐狸抢先一步说,"你先算道题。我测量过了,你们两家相距 10 千米。虎大王每小时行 6 千米,你傻胖熊每小时才行 4 千米,你算算你俩从出发到相遇共用了多少时间?"

胖熊的数学实在不行,连这么简单的题目都不会做,他手捂着脑袋直出汗。狐狸冷笑着在一边看。

"用了 1 小时。"瘦猴也不知从哪儿钻了出来,他对狐狸说,"你不要狐假虎威!我来考你一道题:小熊从一开始就在老虎和胖熊之间来回跑,一直到他俩相遇才停下来,他的速度是每小时 10 千米,你给我算算,小熊一共跑了多少千米?"

"小熊从他们家出来,见到我们就往回跑,见到他爸爸之后又朝我们这儿跑,他是 1 分钟也没闲着。可是,他每一段跑了多远并不知道啊?"狐狸也傻眼了。

瘦猴微微一笑说:"像你这样算,猴年也算不出来呀!既然虎和熊从出发到相遇的时间是 1 小时,小熊也跑了 1 小时。小熊 1 小时跑 10 千米,他一共跑了 10 千米呀!根本用不着一段一段地算!"几句话说得狐狸脸上一阵红一阵白。

虎熊决斗
HUXIONGJUEDOU

虎熊决斗。老虎主张相互扑咬,胖熊却要求摔跤。经过猜先,胖熊获得决定权。狐狸为了讨好老虎,也要求参加摔跤比赛。瘦猴双手一拍,叫了一声:"好!你们三个摔,我来当裁判。你们三个来个循环赛,谁把对方摔得肩背着地,就算胜。胜一场得10分,输一场是0分,平一场是5分。在比赛过程中,谁把对方摔一个嘴啃泥,就得1分。最后根据每人总分多少来决定胜负。"

"好!""好!"除了狐狸没吭声,老虎和胖熊都同意。

瘦猴一声令下,摔跤开始。老虎虽然凶猛,但胖熊是摔跤能手,场上喊声震天。"扑通"一声,老虎倒地,尘土飞扬;"哎呀!"狐狸从空中摔下,疼得嗷嗷乱叫。

突然,狐狸大叫:"停!"他晃了晃脑袋问:"摔了几场啦?"看来狐狸是被摔糊涂了。

瘦猴强忍着笑说:"你就不用问摔了几场了,现在的得分是:你狐狸得3分,老虎得7分,胖熊得21分。你自己算算现在摔了几场?你们三个各胜几场?"

狐狸翻着白眼,呆了好大一会儿才缓过劲来,他说:"我一共得了3分,胜一场得10分,平一场得5分,显然

我是全输了。可是我也得了3分呀！说明不管是老虎还是胖狗熊，我有三次把他们摔得嘴啃泥！哈哈，我狐狸也不简单哪！但是……总共赛了几场，我还是算不出来。"

"你得意什么？胖熊和你比赛的时候，也把你摔了四个嘴啃泥呢！"瘦猴说，"三个人比赛，只算你一个的得分怎么能行？你得3分，说明你全输；老虎得7分，说明他没胜。由此可以肯定，你们俩没有比赛过。"

"那当然了，我和老虎是铁哥们！我怎么好意思摔他呢？！"狐狸神气十足地说，"你别看狗熊那么肥，我照样三次把他摔成嘴啃泥！"

瘦猴继续分析说："你和老虎都得了分，说明你们俩都和胖熊比赛过。胖熊至少胜了你一场，得10分，胖熊又摔你四个嘴啃泥，又得4分，他至少得14分。从胖熊的21分中减去14分得7分，说明老虎和胖熊打了一个平手。"

"我明白了。"狐狸摇晃着脑袋说，"总共赛了四场，我把胖熊摔了3个嘴啃泥，他摔了我四个嘴啃泥，最后还是我输了。老虎和胖熊各把对方摔了两个嘴啃泥，虽然他俩打了个平手，但按总分算是胖熊获胜！"

老虎气得"嗷嗷"叫，他指着胖熊喊："这次不算，咱俩再比试一次扑咬，你敢吗？"

虎 HUXIONGCAIXIAN
熊猜先

摔跤比赛老虎输了。老虎不服,提出要和胖熊比试扑咬的本领。老虎有猛劲,可是耐力不够,他希望速战速决,提出比赛采用"三战两胜制",就是比赛三场,谁先胜两场谁胜利。胖熊的耐力特别好,他主张采用"五战三胜制"。怎么办?只好猜先,谁猜到先,就按谁的方案比。老虎上次猜输了,这次让狐狸替他猜。胖熊也不傻,既然你让狐狸替你猜,我就让瘦猴替我猜。

狐狸向前走了几步,摇晃着脑袋问瘦猴:"咱俩怎么猜法?是抓阄啊?还是玩'石头、剪子、布'?"

"嘻嘻!"瘦猴摇摇脑袋说,"咱们不玩那些小孩子的玩意儿,你狐狸聪明绝顶,咱们来点儿档次高的吧!"

"对、对,这话我爱听。"狐狸咧开嘴说,"你说怎么猜吧!"

瘦猴从后腰上拿出一袋玻璃球,说:"这口袋里有红、黄、蓝、绿、黑五种颜色的玻璃球 100 个,其中红的 12 个,黄的 27 个,绿的 19 个,黑的 33 个。要求从口袋中只取一次,保证取出的玻璃球中有 13 个颜色相同,谁取出的玻璃球最少,谁获胜。"

"我取它 39 个,39 是 13 的 3 倍,总可以取到吧!"说完狐狸伸手从口袋里抓出 39 个玻璃球,放到地上一看,哪种颜色的玻璃球也不够 13 个,狐狸泄了气。

瘦猴一句话也没说,伸手从口袋里抓了两大把,放到地上数了一下,总共是 58 个。狐狸探头一看,里面有 13 个黄玻璃球。

狐狸眼珠一转,直着脖子喊:"你是瞎蒙的!"

"蒙的?"瘦猴说,"我来给你讲明其中的道理:红、黄、绿、黑这四种颜色玻璃球的个数都知道了,蓝玻璃球的数量可以算出来,100 - 12 - 27 - 19 - 33 = 9(个)。考虑最倒霉的情况:取了 12 个红色的、12 个黄色的、12 个绿色的、12 个黑色的、9 个蓝色的,红色的和蓝色的都取光了,再多取 1 个就会使黄色、绿色、黑色这三种颜色中的一种变成 13 个。12 × 4 + 9 + 1 = 58(个),这是说,不管你怎样取,只要取够 58 个球,一定有 13 个颜色相同的。"

狐狸撇着嘴说:"这次算你赢了,下面该我出主意了!"

熊 扑虎倒 XIONGPUHUDAO

狐狸取球输了，他不甘心，又玩新花招儿。他对瘦猴说："你把1，1，2，2，3，3这六个数字排成一行。要求1与1之间有一个数字，2与2之间有两个数字，3与3之间有三个数字。你会排吗？"

瘦猴想了一想，说："有两种排法，312132或231213。"

狐狸无可奈何地摇摇头，说："我还真难不住你！"

瘦猴说："你难不住我，我问你一个问题。这儿有1，2，3，4各两个数字，怎样排，才能使两个1之间有一个数字，两个2之间有两个数字，两个3之间有三个数字，两个4之间有4个数字？"

狐狸不以为然，拿起树棍在地上排了起来。结果是这样排不对，那样排也不对！狐狸在地上写满了数字，累得一头汗，也没排出来。

狐狸眼珠一转，反咬一口说："你出的这个问题，根本就排不出来！"

瘦猴走近一步，问："我要排出来，怎么样？"

狐狸把脖子一挺，说："你排出来，我彻底认输！"

瘦猴也不说话，在地上写了两行数：41312432和23421314。

狐狸一看，二话没说，转身走到老虎跟前，说："我输了，你要让人家胖熊先咬。"

"废物！"老虎扬手给了狐狸一记耳光，把狐狸打出好远。

老虎双手叉腰，对胖熊说："你只管扑上来咬，我要是皱一下眉头，就不是山中之王！"

听老虎这么一诈唬，胖熊还真有点儿害怕，迟疑着不敢扑上去。瘦猴趴在胖熊的耳朵旁小声嘀咕几句，胖熊点了点头，运足了底气，大吼一声扑了上去。由于胖熊的冲力太大，老虎晃了两晃，"扑通"一声仰面倒在地上。

胖熊的招术真绝！他上面咬住老虎的鼻子，下面挠老虎的痒痒肉。把老虎痒得满地打滚，嘴里不断求饶："嘻嘻，我认输，我认输！快别挠了！嘻嘻，痒死我啦！"

胖熊松了手，从地上站了起来，对老虎说："你认输了，就回家去吧！"老虎低着头刚要走，被狐狸拦住了去路。

狐狸捂着脸说："大王不能走！咱们说好了比赛采用'五局三胜'制，这刚刚比试了一局，您怎么能认输呢？"

"对！下一局该我扑咬胖熊了。"听了狐狸的话，老虎又来劲了。

胖熊的要害
PANGXIONGDEYAOHAI

胖熊听说老虎要扑咬自己，心里非常害怕，他用胳膊碰了一下瘦猴，小声问："怎么办？让老虎咬一口，可不是闹着玩的！"

瘦猴眼珠一转，大声说："谁不知胖熊皮厚，不怕咬！你老虎咬他一口，顶多咬下几根熊毛，没什么了不起的！"

老虎回头问狐狸："真是这样？我可从来没有咬过狗熊啊！"

狐狸一愣，接着"嘿嘿"一阵冷笑，说："不错，胖熊的皮是比较厚，你咬他两口，他也不在乎。可是我听猎人说过，他胸前那块长着白毛的弯月形部分，是致命的部位，猎人专门开枪打那个部位，一枪就能要了狗熊的命！虎大哥，你就照着他弯月形的部位咬，没错！"

胖熊一听狐狸说出自己的要害，吓得直往瘦猴身后躲。

瘦猴摇摇头说："狐狸，你只知其一，不知其二。如果用枪打，那个地方确实是要害部位。现在是用嘴咬，能咬多深？你根本就伤害不了他的里面。"

老虎一听，又没了主意。他问瘦猴："你说我应该咬胖熊的什么地方？"

　　瘦猴在地上画了一张图，说："胖熊最怕咬的地方是弯月形下面的圆形部位。你必须先咬圆，再咬弯月形，而且这两个图形要咬得面积一样大，才能致胖熊于死地！"

　　"啊！"老虎圆瞪着双眼问，"这里面有这么大学问？"

　　"虎大哥别怕，我来给你算算，这个圆和弯月形的面积各有多大。"狐狸指着地上的图说，"把大正方形的各边都四等份，每一份的长度算作 1，圆的半径就是 1，其面积是 π，而弯月形的面积等于大半圆的面积减去两个小半圆的面积。大半圆的半径是 2，面积为 2π，而两个小半圆的面积之和为 π。所以，弯月形的面积等于 2π－π＝π。好了，这两块的面积一样大，你每次都把所要咬的图形全部咬在嘴里，就能保证两次咬的面积一样大！"

　　"好的！"老虎把身体往下一蹲，猛地向胖熊扑了过去。

谁更聪明
SHUIGENGCONGMING

老虎扑向胖熊，来了个"黑虎掏心"。胖熊不敢怠慢，向侧面一滚，让老虎扑了一个空。

老虎大怒，指着胖熊的鼻子责问道："你怎么搞的？我扑你，你怎么躲开了？"

瘦猴站出来说："为什么不许躲呀？"

老虎说："我刚才就没躲！"

"你没躲，说明你傻！"瘦猴倒背双手围着老虎转了一圈儿，说："胖熊可比你聪明多了！"

"啊！气死我啦！"老虎平地蹿起老高，他大声吼道，"谁不知道狗熊最笨，人家都叫他'笨狗熊'。谁敢说我'森林之王'笨？！"

瘦猴摇摇头说："人家不说，不等于心里不那样想。聪明和笨是可以测试出来的。"

老虎马上要求瘦猴测试一下他和胖熊，究竟谁笨谁聪明。

狐狸拉了一下老虎的后腿，小声说："你先扑咬胖熊一次呀！不能让他白咬你一次。"

"不，我要先和胖熊测试一下谁更聪明！"

老虎主意已定,他对瘦猴说:"你来测试我们俩吧!"

"好吧!"瘦猴说,"昨天我去胖熊家,发现屋里坐着许多动物。我仔细一数,除了两个其余都是熊,除了两个其余都是牛,除了两个其余都是兔。老虎,你说屋里有几个动物啊?"

"10个,15个,20个……哎呀,可真不少呢!"老虎盘算了半天也没有说出结果。

胖熊回答说:"其实只有我、老牛和小兔3个动物。"

瘦猴把手往上一举,宣布:"胖熊回答正确!"老虎立刻傻了眼。

"不算!不算!"狐狸慌忙摆手说,"这是胖熊他们家的事,他当然很清楚了。"

YIJIANHUABEIXIN
一件花背心

胖熊说出家里有 3 个动物,以 2:0 领先。狐狸说瘦猴和胖熊是一块儿的,瘦猴不能出题测试。正巧黄狗背着一只口袋从这儿经过,狐狸请黄狗出一道题。

黄狗想了一下,从口袋里拿出 5 个馒头和 1 件花背心。黄狗说:"我给人家看门守夜,说好看 12 天,主人答应给我 12 个馒头和 1 件背心。可我只干了 7 天,家里有事让我赶紧回去,我非常喜欢这件花背心,人家就把背心给了我,并且公平

地给了我 5 个馒头。老虎和胖熊,你们俩谁能算出我的这件背心值几个馒头?"

老虎摇摇头说:"我吃肉,不爱吃馒头!"

胖熊点点头说："我倒是吃馒头，但是我不会算哪！"

黄狗指着狐狸和瘦猴说："他们俩不会算，你们俩做对了也算数。"

瘦猴抢先说："我来算。你 12 天得 12 个馒头和一件花背心，每天应该得 1 个馒头和 $\frac{1}{12}$ 件背心，7 天就应该得 7 个馒头和 $\frac{7}{12}$ 件背心，现在你得到 1 件背心和 5 个馒头，也就是多得了 $1 - \frac{7}{12} = \frac{5}{12}$（件）背心，少得了 $7 - 5 = 2$（个）馒头。"

黄狗恍然大悟，说："我明白了，我多得了 $\frac{5}{12}$ 件背心值 2 个馒头！"

"对！"瘦猴说，"这样一来就可以求出 1 件背心值几个馒头了。"列出算式：

$$2 \div \frac{5}{12} = 4\frac{4}{5}（个）$$

"哈，我算出来了！你这件背心值 $4\frac{4}{5}$ 个馒头。"瘦猴高兴地把结果告诉黄狗。

狐狸着急地说："这题我也会做！"

黄狗说："人家做出来了，你才说会做，晚了！ 3：0，胖熊获胜！"

枯井救子
KUJINGJIUZI

在瘦猴的帮助下，胖熊以 3∶0 获得了胜利，老虎、狐狸一前一后，垂头丧气地溜走了。

胖熊非常高兴，拉着瘦猴回家吃饭。还没到家，就听到一阵阵哭声，胖熊脸色突变，大叫一声："不好！我们家出事啦！"说完撒腿就跑。瘦猴不知出了什么事，赶紧跟上。

跑到近处才看见，母熊趴在一口枯井旁哭叫，从枯井里隐约传出小熊的哭叫声。"是小熊掉进枯井里了！"胖熊急得就要跳进枯井救小熊。

"慢！"瘦猴拉住胖熊，"你也不知道枯井有多深，贸然跳进去，弄不好连你自己都上不来了！"

胖熊围着枯井转了一圈，说道："这可怎么办哪？！急死我啦！"

瘦猴找来一条长绳子,说:"先测量一下枯井有多深。"

绳子太长,瘦猴把绳子4折以后放进枯井里。瘦猴一边放,一边对枯井里喊:"小熊,你看见绳子了吗?"

小熊在井里回答:"我已经抓住绳子头了。"

"你抓住别动!"瘦猴取出尺子,量出绳子超出井口的部分有1米长。瘦猴把绳子拉出来,又把绳子5折后放进枯井里,量出露在井口外面的绳长是0.1米。

瘦猴掐指一算,说:"枯井深3.5米。"

"3.5米不算深,我跳下去!"胖熊说完就要往下跳。瘦猴一把拉住了胖熊,说:"你重我轻,还是我下去吧!"瘦猴让胖熊拉住绳子的一头,他顺着绳子滑到井底,抱起小熊,一手拉住绳子,脚蹬着井壁,"嗖嗖"几下就跃出枯井。

母熊对瘦猴千恩万谢,胖熊却问:"你是怎么算出井深3.5米的?"

瘦猴说:"绳子4折后,在井口上面露出1米,合起来是 $1 × 4 = 4$(米)。绳子5折后,在井口上面露出0.1米,合起来是 $0.1 × 5 = 0.5$(米),二者相差 $4 - 0.5 = 3.5$(米)。为什么少了3.5米呢?是因为绳子由4折变成了5折,多了1折与井深同样长短的绳子,所以井深3.5米。"

胖熊一挑大拇指,说:"我服你啦!"

小熊学数学

XIAOXIONGXUESHUXUE

通过接连发生的几件事,胖熊发现数学太有用了,他决定让小熊跟着瘦猴学数学。小熊非常喜欢学数学,每天早上都背着书包去找瘦猴。

一天,小熊对瘦猴说:"刚才我看见一群小猴在分桃,又吵又闹也没分好,我想帮忙,可是我也不会分。"

"你说说。"瘦猴从树上跳了下来。

小熊说:"小猴分桃乐呵呵,每只6个剩8个,每只8个差6个,小猴几只桃几个?"

"哈哈!"瘦猴笑了,"好你个小熊,考起师傅来了。此题不难,一共有7只小猴、50个桃。"

小熊惊讶地瞪着大眼睛问:"你怎么算得这么快?"

"你要这样想。"瘦猴说,"第一次分,剩下8个

桃;第二次分,少 6 个桃,合起来一共是 14 个。这个差数
14 是每一次每只小猴多分 2 个桃造成的。因此,14 ÷ 2
= 7 是小猴的只数,6 × 7 + 8 = 50 是桃子的个数。"

"真神!"小熊敬佩地说,"难怪我爸总夸奖你,你还
真有两下子! 不过,我还有一个问题,不知你会不会解?"

瘦猴笑着说:"你说出来听听。"

小熊说:"我从家到这儿上学,如果我走路的话,每小
时走 15 千米;如果我跑的话,速度可达每小时 30 千米。
昨天我是走着来上学,放学后跑着回家的,路上一共用了
1 小时。你说说,我家离这儿有多远?"

瘦猴说:"你跑的速度是走的速度的 2 倍,因此,你上
学所用的时间是回家所用时间的 2 倍。由此可以求出你
回家用的时间是 1 ÷ (1 + 2) = $\frac{1}{3}$(小时),我这儿离你
家有 30 × $\frac{1}{3}$ = 10 (千米)。"

小熊问:"10 千米远不远?"

瘦猴回答:"嗯,10 千米可不算近了!"

小熊说:"我这么小,每天要跑这
么远的路来上学,你不心疼吗?"

瘦猴问:"你说怎么办?"

小熊说:"如果你每天到我家去
教我,该有多好!"

"美得你!"瘦猴照着小熊的屁
股给了一巴掌。

李毓佩数学故事系列

老虎屁股摸不得

LI
YU
PEI
SHU
XUE
GU
SHI
XI
LIE

老虎屁股摸不得
LAOHUPIGUMOBUDE

小鼹鼠人小志气大,他想周游世界。乘飞机? 坐火车? 开汽车? 都不行。他趾上有钩爪,擅长在地下开道,行走极快。人送外号"土行孙",俗名"地排子"。

夜晚,他瞄准北极星方向,用前爪挖开一个小洞,随后钻入地下,用他那有钩爪的趾开路,径直向北方奔去。也不知走了几天几夜,终于,他钻出了地面。

啊,好大的一片森林。他一转身,发现离头顶不远有个毛茸茸的大皮垫子,皮垫子是橙黄色的,还有许多黑色的花纹,真好玩! 小鼹鼠情不自禁地伸手去摸皮垫子,这一摸可不得了,只听"嗷"的一声,一只斑斓猛虎从地上一跃而起,吓得小鼹鼠赶忙钻入地下。

这是一只体重约 200 千克的东北虎。"'老虎屁股摸不得',今天是哪个不怕死的家伙敢来碰我? "老虎想到这里, 便用 1 米多长的尾巴左右横扫。老虎的尾巴可非同小可,据说扫到牛身上,能把牛扫一个跟头。可是,他扫了半天什么也没扫着。"什么东西? "老虎纳闷儿了。

"是我,小鼹鼠。"小鼹鼠从地下伸出脑袋说,"我不是故意的,我知道摸人家的屁股是非常不礼貌的! 真对不起! "

几句好话，说得老虎消了点儿气。老虎说："我趴在那儿正算一道题，眼看就要算出来了，这下子让你给搅的，我又给忘了。"

小鼹鼠把上身探出地面，小心地说："请你说说看，是什么题目，也许我能帮你。"

老虎用一只眼看着鼹鼠说："真没看出来，你这个小家伙，口气还真不小。好，我说说，如果你算不出来，可别怪我不客气啦！"

鼹鼠满不在乎地说："嗨，你快说吧！"

老虎说："刚才我逮了两只野猪，一只黑的，一只花的。先吃哪只呢？我想先吃年龄大一点儿的。我问他俩谁

大？黑野猪说，他再过 2 年比他 2 年前大 1 倍；花野猪说，他再过 3 年比他 3 年前大 2 倍。你说他俩谁大？"

鼹鼠从洞中钻了出来，在地上边写边说："2 年后加上 2 年前应该是 4 年，过了 4 年增大了 1 倍，说明黑野猪 2 年前是 4 岁，现在是 6 岁。"

老虎点点头说："6 岁不算小啦！我可能先吃黑野猪！花野猪呢？"

鼹鼠说："3 年后加上 3 年前应该是 6 年，过了 6 年增大 2 倍，说明 3 年前他 3 岁，现在是 6 岁。"

老虎点点头说："花野猪也 6 岁，看来我要先吃花野猪。"老虎又一想，摇摇头说，"嗯？不对！闹了半天两只野猪还要一起吃！我上当啦！"

老虎一回头，小鼹鼠钻进土里跑了。

贪睡的大狗熊
TANSHUIDEDAGOUXIONG

"老虎可真吓人！"小鼹鼠在地下一阵紧刨，一下子又跑出去好远。可以上去看看了。他头往上顶，顶不动。怎么回事？用力顶，还是顶不动。

是大石头？是大树？都不是，这个东西有弹性。啊，会不会是老虎屁股？！想到这儿，小鼹鼠吓出了一身冷汗，他赶紧往土里又钻了钻。

小鼹鼠冷静地想了想，不对呀！老虎是橙黄色的，还有许多黑花纹，可是我刚才见到的是纯黑的呀！好奇心驱使小鼹鼠非要弄出个究竟不可。他从别处钻了出来，探头仔细一看，啊，只见一只大狗熊正躺在洞里呼呼睡大觉呢。

真是一只懒狗熊！天都大亮了，还躲在这里睡大觉，得叫醒他起来干点活儿。怎么叫醒他呢？不能拍屁股，老虎屁股摸不得，谁知道狗熊的屁股是否摸得？还是拍他的肩膀吧！

"啪！啪！"小鼹鼠拍着狗熊的肩膀叫道："喂，大狗熊，醒醒！"但是没有用，狗熊继续睡觉。小鼹鼠急了，他抬起右脚，照着狗熊的鼻子狠狠踢了一脚。这一脚踢得

太重了，狗熊"嗯"地睁开了双眼。

狗熊厉声问："你为什么踢我鼻子？"

小鼹鼠反问："为什么叫你半天都不醒？"

"我在冬眠，每年我从 10 月下旬开始冬眠，要睡好几个月呢！"狗熊说完又要闭上眼睛。

"先别闭眼！"小鼹鼠跑过去把狗熊的上下眼皮拉开，"你告诉我，你冬眠要睡几个月呀？"

狗熊慢吞吞地说："睡多少个月我可记不清了。只知道其中的 42 天是做梦吃蜂蜜；做梦吃玉米的时间是吃蜂蜜时间的 $\frac{2}{3}$；做梦挖蚂蚁窝的时间是吃蜂蜜时间的 $\frac{3}{2}$。你算算我睡了几个月？"

"好个大狗熊，想知道你睡了几个月，你还考我一下子呀！不过，你难不倒我。"小鼹鼠趴在地上边写边说，"你做了三段吃东西的美梦，第一段是 42 天，第二段是 42 天的 $\frac{2}{3}$，第三段是 42 天的 $\frac{3}{2}$，把这三段时间加起来就是你冬眠的时间。"

狗熊睁开眼睛，懒懒地问："是几个月呀？"

小鼹鼠列出算式：$42 + 42 \times \frac{2}{3} + 42 \times \frac{3}{2} = 42 + 28 + 63 = 133（天）= 4$ 个月 13 天。

小鼹鼠说："每月按 30 天算，你冬眠要 4 个月零 13 天呢！你可真能睡呀！"

狗熊说："冬天找不到好吃的，多睡觉可以少吃点儿东西，还可以少消耗体能呢！"

小鼹鼠说："对不起，打扰你冬眠了，再见！"

狗熊站起来大吼一声："不能走！你把我叫醒了，我多消耗了许多养料。我必须把你吃了，才能补充得上！"说完就朝小鼹鼠扑了过去。小鼹鼠赶紧钻进土里，逃了。

白熊抓鱼

小鼹鼠钻进土里继续北走，越往北他扒土就越困难。小鼹鼠知道北方气候寒冷，土地都冻结了，但他不怕困难，努力向前行。

好冷啊！小鼹鼠钻出地面一看，周围是白茫茫一片，冰天雪地，滴水成冰。他踩着厚厚的白雪向前行。哎，手脚都冻麻木了。前面有一个雪堆儿，上去看看。

小鼹鼠爬上雪堆儿，向四周看。忽然，脚下一动，"咕咚"一声他摔了下来。怎么回事，雪堆儿"活"了？他低头一看，吓了一跳，站在他面前的是一头又高又大的白熊。白熊正瞪着眼睛看他呢。

小鼹鼠赶紧解释："真对不起，我不知道你在这儿冬眠。"

"冬眠？"白熊摇晃着脑袋说，"这里是北极，是冰雪世界，我若是冬眠，怕睡不醒啦！"

小鼹鼠问："你不冬眠，刚才你趴在那儿干什么哪？"

"抓鱼。这块冰有个裂缝，我正准备抓条大鱼，让你这么一折腾，把鱼都给吓跑了！"白熊满脸不高兴。

小鼹鼠眨巴着眼睛问："大白熊！你一天能抓几条鱼？"

"几条鱼？你也太小看我啦！"白熊在原地转了一个圈儿，说，"我能抓到一堆大鱼和一堆小鱼。大鱼小鱼相加整

90条，大鱼比小鱼多8条。你给我算算，我能抓多少条大鱼？多少条小鱼？你若算不出来，可别怪我不客气呀！"

"别着急，我来给你算。"小鼹鼠忙说，"从90条中减去多出来的8条大鱼，剩下的82条鱼中，大鱼和小鱼各占一半。所以小鱼数是（90 - 8）÷ 2 = 41（条），大鱼数是90 - 41 = 49（条）。我说大白熊，你这个问题也太简单啦！"

"你说太简单？我给你说个复杂的问题，你做不出来，我就把你当点心吃了！"白熊张着大嘴呼出热气，直逼小鼹鼠，真吓人。白熊接着说："有一天，我抓了36条鱼，把它们放在3个水坑里。嘿，这些鱼还真淘气，第一个坑里有$\frac{1}{7}$的鱼跳到了第二个坑里；之后，第二个坑中又有$\frac{1}{3}$的鱼跳到第三个坑里。我仔细一数，真有趣！ 3个坑里的鱼数目一样多。你给我算算，第二个坑里原来有多少条鱼？"

小鼹鼠皱着眉头说："真麻烦！ 不过，我会算出来的。"

白熊威胁说："3分钟内你若算不出来，我就吃了你！"

小鼹鼠略一沉思，便得出了答案。他不慌不忙地说："最后3个坑里的鱼数相等，每个坑都应有12条鱼。第一个坑是跳出$\frac{1}{7}$后剩12条，原来必然是12 ÷（1 - $\frac{1}{7}$）= 12 × $\frac{7}{6}$ = 14（条）。第二个坑跳出$\frac{1}{3}$后还剩12条，未跳出前是12 ÷（1 - $\frac{1}{3}$）= 12 × $\frac{3}{2}$ = 18（条），这18条中有2条是第一个坑跳来的，第二个坑原来有18 - 2 = 16（条）。"

白熊为了验证小鼹鼠算得对不对，掰着指头算了起来。小鼹鼠利用这个机会，撒腿跑了。

智斗群狼

ZHIDOUQUNLANG

北极地区太冷！小鼹鼠决定南行，他在地下穿行，速度很快。走着走着，他听到"咩——咩——"非常悲惨的羊叫声。

"出什么事啦？"小鼹鼠决定上去看看。他小心地从土里钻了出来。只见一大群羊围成一个圆圈，羊公公站在圆圈儿的中央。羊公公对大家说："狼群给咱们来了一封信，信上说，他们要对咱们进行 3 次袭击。第一次专吃公羊，他们是 4 只狼吃掉 1 只公羊；第二次专吃母羊，他们是 3 只狼吃掉 1 只母羊；第三次是吃小羊，他们是 2 只狼分吃 1 只小羊。"

"啊？群狼是要把咱们斩尽杀绝呀！"羊们议论纷纷，十分恐慌。

"他们还说知道咱们总数是 65 。只要咱们能算出他们的总数，就同意把袭击时间推后 3 天。"羊公公一字一顿地说道。

　　羊妈妈小心地问道："谁会算狼的数目？"在场的羊，你看看我，我看看你，一个个都低下了头。

　　羊妈妈摇了摇头说："你们都不会算，那就干等着狼群来吃掉咱们啦！"

　　"咩——"小羊哭，大羊叫，乱成一片。

　　"我会算！"在这紧急关头，小鼹鼠挺身而出。他跑进圆圈里对群羊说："只要先算出 1 只狼要吃掉多少只羊，就可以算出有多少只狼了。"

　　群羊见这个从土里钻出来的小家伙会算，就都围拢上来了。

　　小鼹鼠说："2 只狼分吃 1 只小羊，每只狼吃 $\frac{1}{2}$ 只羊；3 只狼分吃 1 只母羊，每只狼吃 $\frac{1}{3}$ 只羊；4 只狼分吃 1 只公羊，每只狼吃 $\frac{1}{4}$ 只羊。合在一起，每只狼吃掉 $\frac{1}{2} + \frac{1}{3}$

$+ \dfrac{1}{4} = \dfrac{13}{12}$ 只羊。再做一次除法：$65 \div \dfrac{13}{12} = 65 \times \dfrac{12}{13} = 60$（只），算出来，共有 60 只狼。"

"哎呀！有这么多只狼啊！"羊公公倒吸了一口凉气。他镇定了一下说："不过，咱们算出他们的总数，总可以拖延 3 天了。"

羊公公一面派一只羊把答案给狼群送去，一面和群羊商量对策。羊公公说："狼群嗜杀成性，他们肯定还要来袭击咱们，咱们还得想想办法才行。"

一只健壮的大公羊，摇晃着头上的大犄角愤怒地说："不要怕这些恶狼，咱们要和他们斗，拼个你死我活！"

"肯定要和他们斗，不过要知己知彼呀！要能知道狼群下一步干什么，我们就可以针对他们的计划采取行动。"羊公公处理事情十分谨慎。

"看我的！我去把狼群下一步的行动计划搞清楚。"小鼹鼠说完就钻进土里去了。

刺 CITANJUNQING 探军情

小鼹鼠离开羊群，钻进土里，直朝群狼所在的方向飞奔而去，渐渐地他听到了狼的嗥叫声。小鼹鼠继续破土前进，一直钻到了狼群的脚底下。他往地上钻出一个小洞，仔细听着群狼的对话。

一只狼用嘶哑的声音吼道："不成！宽限他们3天，美死他们啦！我要求今天晚上就出击，把羊群全部吃掉！"

另一只狼声音十分苍老，他慢吞吞地说："你着什么急？这群羊早晚都是咱们口中的美食，咱们要学猫捉老鼠的本事，要连玩带吃嘛！"

"哈哈！哈哈哈哈！"群狼发出一阵狂笑。

一只小狼问："咱们怎么逗逗这群羊？"

"咱们和他们做个游戏。只要如此这般，今天晚上就可以捉回15只肥羊，供咱们享用。"老狼刚说完自己的主意，群狼就大声叫好。不过老狼的打算被小鼹鼠听得一清二楚，他赶紧跑了回去。

老羊见小鼹鼠急匆匆赶了回来，忙问他听到了什么。小鼹鼠把老狼的阴谋诡计一五一十地说了一遍，之后告诉老羊如何粉碎老狼的阴谋。小鼹鼠刚刚说完，就听到

一阵急促的脚步声,老狼带着 14 只剽悍的大公狼赶来了。

老狼对群羊说:"我们对你们的袭击向后推迟了 3 天,今天我们要和你们做个游戏玩。我们来了 15 只狼,你们出 15 只羊,咱们排成一个圆圈。从某一只狼或某一只羊开始顺时针数,凡是数到 10 的就站出来,然后再接着从 1 数起,当站出来的够 15 只时,游戏停止。"

老羊问:"站出来的将受到怎样的惩罚呢?"

老狼奸笑着说:"站出来的如果是羊,那就只好跟我们走啦。"

老羊又问:"如果是狼呢?"

"这个……"老狼没词儿了。这是老狼没有料到的。

老羊说:"如果是狼,就让我们的公羊用犄角在他的屁股上扎两个洞!"

老狼自认必胜无疑,就奸笑了两声答应下来。接着双方在由谁来安排圆圈上狼和羊的位置上争执不下。最后老狼不相信老羊会排出什么花样,答应由老羊先排。这里用白点代表羊,黑点代表狼,将 15 只羊和 15 只狼排好(见图)。

从老羊开始数,第一个下来的就是狼(图中写 1 的黑点),没等这只狼站稳,1 只大公羊低着头冲了过来,

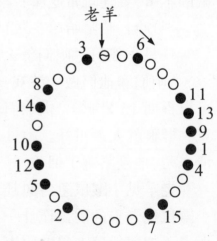

照着他屁股用力一顶,只听这只狼大叫一声,摔倒在地,屁股上出现了两个大洞。

接着往下数,第二个下来的还是狼,第三个下来的也是狼,15个都数下来,只见15只狼倒在了地上,个个屁股上有两个洞!

南北决斗
NANBEIJUEDOU

小鼹鼠离开了大草原,告别了羊群,继续往南走。走着走着,他听到地面有非常特殊的鸟叫声。他扒开一个洞,钻了出来,想看看是什么鸟叫。

嘀,好大一片丘陵地。上面长着许多高大的树木和低矮的灌木林。"呼啦啦",从北边飞来一群鸟,好漂亮的大鸟!鸟的头部和颈部是黑色的,脸是红色的,身上的羽毛是深褐色的,尾巴特别长,是白色的。最引人注意的是,耳朵下面还长着长长的白羽毛,像倒长的白胡子。

一只小松鼠从树上滑了下来。小鼹鼠叫住他,问道:"请问,这些美丽的大鸟是什么鸟呀?"小松鼠答:"褐马鸡。小鼹鼠,你快躲开吧!一会儿他们就要在这儿打仗啦!"

小鼹鼠又问:"褐马鸡和谁打仗?"

小松鼠瞪大了眼睛说:"自己和自己呗!住在北边的一群褐马鸡,与住在南边的一群褐马鸡,约好今天在这里决斗。你别看褐马鸡长得漂亮,打起仗来可不要命啦!"正说着,"呼啦啦"从南边又飞来一群褐马鸡。南北两群褐马鸡一见面就扭作一团,或扑,或啄,或抓,再

142

加上鸣叫声不断,好不热闹。

小鼹鼠跳出地面,爬到高处大叫:"停,停止战斗!你们同是褐马鸡,为什么要自相残杀?"

北边领头的褐马鸡说:"狐狸告诉我们,他有好多袋非常好吃的昆虫。他准备把我们北边的褐马鸡分成3组,把南边的褐马鸡也分成3组,一共是6组。"

小鼹鼠有点儿糊涂,他问:"分6组干什么?"

褐马鸡接着说:"狐狸准备先给第一组1袋,然后再把剩下的 $\frac{1}{7}$ 分给第一组;接着给第二组2袋,再把剩下的 $\frac{1}{7}$ 分给第二组;给第三组3袋,再把剩下的 $\frac{1}{7}$ 给第三组。最后把剩下的若干袋昆虫平均分成3份,给四、五、六组,结果这6个组分得的昆虫一样多。"

小鼹鼠说："既然大家都一样多,你们就吃了算啦,打什么仗?"

褐马鸡一跺脚说："不成呀!狐狸说,必须算出他有多少袋昆虫,才分给我们吃!如果算不出来,南、北两边的褐马鸡必须进行一场战斗,谁胜了他就把昆虫给谁吃。可是我们都算不出来,只好打一仗啦!"

"我来算。"小鼹鼠说,"狐狸非常小气,他的昆虫不会超过 50 袋。既然能给 6 个组均分,袋数一定是 6 的倍数。 12 不成,因为 12 - 1 = 11 ,不能被 7 整除。 18 , 24 , 30 也不成。只有 36 可以。 36 - 1 = 35 , $35 \times \frac{1}{7} = 5$,给第一组 6 袋,同样可以算出给第二组、第三组也是 6 袋。"

褐马鸡都高兴地跳了起来,他们欢呼:"算出来喽!一共 36 袋,找狐狸要昆虫去!"

找 ZHAOHULIQU 狐狸去

小鼹鼠算出来了，狐狸应该有 36 袋好吃的昆虫。南北两群褐马鸡停战言和，"呼啦啦"一同飞起找狐狸算账去。

小鼹鼠心想，狐狸可是诡计多端，褐马鸡会不会上狐狸的当？不成，我要跟着去看看！想到这儿，小鼹鼠一头钻进土里，朝褐马鸡飞的方向破土而去。

走了一段路，小鼹鼠听到地面上有吵闹声。他钻出地面，只见一大群褐马鸡正围着狐狸喳喳喳喳吵个不停，要袋装昆虫吃呢。

狐狸哭丧着脸说："不得了呀！昨天晚上来了许多强盗，还有一大群狗，把 36 袋昆虫全抢去了。"

褐马鸡问："来了多少强盗？多少条狗？"

"哎呀，可是不少呀！"狐狸眼珠一转说出一段顺口溜：

"一队强盗一队狗，

145

二队并作一队走，

数头一共三百六，

数腿一共八百九，

你说有多少强盗多少狗？"

"这……"褐马鸡的数学不好，听狐狸这么一说都愣住了。

"咔——"狐狸冷笑了一声，小声说："我知道你们算不出来！"

"他们不会，还有我呢！"小鼹鼠不慌不忙地说，"假设这 360 都是狗，应该有 360 × 4 = 1440 条腿，现在只有 890 条腿，说明这里面有许多两条腿的强盗。1440 − 890 = 550 是多出来的腿，一个强盗两条腿，硬给算成四条腿了。所以用 2 去除 550 等于 275，说明有 275 个强盗。360 − 275 = 85，有 85 条狗。"

狐狸看了看小鼹鼠，说："你个头不高，管事不少。你能给列个完整的算式吗？"

"行！"小鼹鼠趴在地上飞快地写出一个算式：

（360 × 4 − 890）÷（4 − 2）= 275（个）

360 − 275 = 85（条）

狐狸点点头说："对啦！"小鼹鼠追问："你说的两条腿强盗到底是什么？"

"强盗嘛……"狐狸的眼珠乱转，"是狗熊，不对，狗熊是四条腿；是老虎，不对，老虎不吃昆虫。那强盗到底是谁呢？是秃鼻乌鸦，对，是乌鸦！乌鸦两条腿。"

褐马鸡听说乌鸦抢走了好吃的昆虫,群情激愤,吵着要去找乌鸦算账。

小鼹鼠赶紧拦住褐马鸡,说:"大家可别上当。你们想想,这周围能有 275 只乌鸦,85 条狗吗?"

褐马鸡纷纷点头说:"是太多了点。"他们转头问狐狸,"哪来的那么多乌鸦,那么多狗?"

"这……"狡猾的狐狸无言以对。

豹子守山
BAOZISHOUSHAN

狐狸的谎言被小鼹鼠当众揭穿，褐马鸡非常生气。一只高大的褐马鸡指着狐狸的脑门儿问："你到底有没有好吃的昆虫？"

狐狸哭丧着脸说："我狐狸哪里会捉昆虫呀！我是骗你们双方打仗……"

褐马鸡急问："我们打仗对你有什么好处？"

"这个……"狐狸眼珠乱转，欲言又止。众褐马鸡齐声大叫："快说！"

"我说，我说。"狐狸低着头小声说道，"我特别想吃褐马鸡的肉，褐马鸡长得那么漂亮，肉也一定特别好吃。可是我又怕打不过褐马鸡，因此骗你们自相残杀，我好坐收渔翁之利。"

"啄！啄！啄死这只狡猾的狐狸！"褐马鸡一拥而上，连啄带咬，一会儿工夫狐狸就没气了。

小鼹鼠告别了褐马鸡继续往南走。走着走着，他听到地面上有哭泣的声音。怎么回事？小鼹鼠扒开土层钻

了出来,只见一大一小两只熊猫瘫坐在地上。

熊猫娃娃有气无力地说:"妈妈,我饿。你带我去南山吃竹子,好吗?"

熊猫妈妈说:"孩子,南山有豹子,咱们可要多留神哪!"熊猫妈妈说完便带着熊猫娃娃向南山走去。

小鼹鼠心想,熊猫可是国宝,万万不能让豹子给伤着,我在后面跟着保护他们。走了好一阵,来到了南山脚下。北山的竹子不知为什么,一片片枯死了,南山的竹子却郁郁葱葱。熊猫娃娃高兴地拽着妈妈往山上跑。

突然,一头金钱豹蹿了出来,他大吼一声:"站住!此山由我占,此林是我栽,上山只有一条路,从我这张纸中钻进来。"说完,金钱豹拿出一张和报纸一样大小的纸,要熊猫从纸中间钻过去。

熊猫妈妈看了看这张长方形的纸,对熊猫娃娃说:"孩子,咱们回去吧!咱俩再瘦也钻不过这么一张纸呀!"

小鼹鼠赶忙拦阻说:"熊猫大妈,别走啊!我有办法叫你们钻过去。"他从地上捡起一个竹片,先用竹片把纸划开(见图画实线部分),变成一根长纸条儿。在长纸条中间划开一道缝儿(画虚线部分,注意不要画到头,否则不成封闭的圈了),沿缝把纸拉

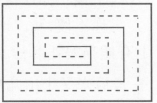

开,出现了一个很大的圈,熊猫妈妈领着熊猫娃娃轻而易举地钻了过去。

金钱豹圆瞪双眼大叫一声:"气死我啦!"

熊猫吃竹

金钱豹见熊猫母子俩穿过纸圈上了南山，大口吃着嫩竹子，一腔怒火全部发泄到了小鼹鼠身上。

金钱豹大吼一声："哪儿来的多管闲事的小盗贼？看你往哪儿走！"说着一个饿虎扑食直取小鼹鼠，小鼹鼠往旁边一闪，"哧溜"一声钻进土里。金钱豹正在气头上，哪里肯罢休？双爪用力刨土，想把小鼹鼠从土里挖出来，小鼹鼠在土里行动极快，金钱豹根本就找不到他。

小鼹鼠扒开一个小洞，伸出头来冲金钱豹"嘿嘿"一笑，说："傻豹子，想抓住我'土行孙'当早餐，没那么容易！"

"谁傻？你才傻呢！"金钱豹又要发怒。

"你不傻，我出道题考考你。"小鼹鼠想了想说，"北山上有熊猫妈妈和熊猫娃娃一共 12 只，其中熊猫娃娃占 $\frac{1}{3}$。后来又生出几只熊猫娃娃，使得熊猫娃娃占的比例变成了 $\frac{3}{7}$。问问你，北山有多少只熊猫妈妈？有几只熊猫娃娃？"

听了小鼹鼠的题目，金钱豹吃惊地说："啊！北山还有那么多的熊猫哪！他们都要到南山来吃竹子。我要仔

细算算有多少只。"可是金钱豹在地上乱画了一阵，没有得出答案。

金钱豹问小鼹鼠："你会算吗？我怎么算不出来呀？"

"当然会算。不过——"小鼹鼠两只眼睛一转说，"我要算出来，你必须答应让这些熊猫到南山吃竹子，我们不能眼看着这些熊猫饿死呀！"

"行！"金钱豹不情愿地点了点头。

小鼹鼠说："熊猫妈妈和熊猫娃娃一共 12 只，熊猫娃娃占 $\frac{1}{3}$。熊猫娃娃就应该有 $12 \times \frac{1}{3} = 4$（只）。设后出生的熊猫娃娃为 x 只，这时熊猫娃娃就变成了 $x + 4$ 只，而熊猫总数变成为 $x + 12$ 只。熊猫娃娃占 $\frac{3}{7}$，可列方程：

151

$$x + 4 = \frac{3}{7}(x + 12),$$
$$7x + 28 = 3x + 36,$$
$$x = 2。$$

新出生了 2 只熊猫娃娃。北山上有 6 只熊猫娃娃，8 只熊猫妈妈。不多！"

金钱豹微闭着双眼说："已经来了 2 只了，还有 12 只，让他们来吃竹子吧！"

小鼹鼠非常高兴，爬到高处对着北山方向大喊："南山上有嫩竹子，北山的熊猫快来吃竹子吧！"听到小鼹鼠的呼唤，北山的熊猫纷纷奔到南山，饱餐竹子。

金钱豹把眼睛睁开一道缝儿，说："熊猫都吃饱了，可是我还饿着哪！"

小鼹鼠摇着小脑袋问："你想吃什么？"

金钱豹突然睁大眼睛叫道："我想吃你！"

蟒鳄之战
MANG'EZHIZHAN

金钱豹答应饥饿的熊猫可以吃竹子,可是他要吃掉小鼹鼠。小鼹鼠往金钱豹的身后一指,叫道:"不好,老虎来了!"

"老虎在哪儿?"趁金钱豹回头看的一刹那,小鼹鼠"哧溜"钻进土里跑了。

小鼹鼠在土里继续往南行,走了好长一段路,他想钻出来看一看,出土时顶到了很硬的东西。他换了一个地方钻出来一看,我的妈呀!原来是一条尾巴特别长的大鳄鱼。

鳄鱼两眼盯住小鼹鼠,生气地喝问:"你为什么顶我的肚子?"

"我不是故意顶你的肚子。我在土里走累了,想钻出来歇会儿。"小鼹鼠慢慢地从土里钻了出来,围着鳄鱼转了一圈儿,摇摇头说,"你的尾巴是不是长得不对劲呀?怎么这么长?"

鳄鱼说:"你是少见多怪,我是人类培养出来的名贵品种——长尾鳄鱼,尾巴特别长,特别好看!不信,你来看。"说完他就摆动大尾巴,打在地上"啪啪"作响,吓得小

鼹鼠一连向后翻了好几个筋斗。

"哈哈,你跑什么?我只不过让你见识见识我美丽的长尾巴。"接着鳄鱼提了一个问题,"我的尾巴是头的长度的3倍,而身子只有尾巴的一半长,身子和尾巴加在一起有13.5米,你知道我的尾巴有多长吗?从头到尾又有多长?"

"让我想想。"小鼹鼠拍着小脑瓜说,"你身子只有尾巴长度的一半,我把你头的长度算作一份,记作1,那么尾巴就是3,而身子就是$\frac{3}{2}$。这样一来,你总长就应该是$1 + \frac{3}{2} + 3 = 5\frac{1}{2}$,尾巴占其中的3份,因此:

尾巴长 $= 13.5 \div 5\frac{1}{2} \times 3$

$$= \frac{27}{2} \times \frac{2}{11} \times 3 = \frac{81}{11} = 7\frac{4}{11}（米），$$

算出来了!你的尾巴长度是$7\frac{4}{11}$米。"

"嗯?我的尾巴只有7米多长?"鳄鱼瞪着大眼睛慢慢向小鼹鼠爬来。

"不,不。我再算算。"小鼹鼠又仔细想了想,突然明白过来了,笑笑说,"我逗你玩哪!这13.5米只是身子和尾巴的长度,不包括头。你的尾巴肯定比7米长。"说完他又列了一个算式:

尾巴长 $= 13.5 \div 4\frac{1}{2} \times 3 = \frac{27}{2} \times \frac{2}{9} \times 3 = 9（米）$

总长 $= 13.5 + 3 = 16.5（米）$

突然,从密林中蹿出一条大蟒,直奔长尾鳄鱼而来,鳄鱼不甘示弱,张开血盆大口疾速迎了上去。鳄鱼扑上

去,一口咬空,大蟒立刻缠住鳄鱼一连绕了好几个圈。鳄鱼想回头咬大蟒,可是够不着,而大蟒却越缠越紧,鳄鱼有些支持不住了。

小鼹鼠在一旁着了急,他对大蟒说:"喂,你不能把他缠死。这是一条非常名贵的长尾鳄鱼,世界上仅有这一条!"

"名贵的动物都是聪明的,这条鳄鱼聪明吗?"大蟒说着把头抬了起来。

"谁说……我不……聪明?不信……考考我!"鳄鱼被缠得喘不过气来。

"好,我就来考考你。"大蟒左右晃了晃脑袋说,"前天,我见到一条强有力的黑蛇,他以 $\frac{5}{14}$ 天爬行 $7\frac{1}{2}$ 米的速度爬进一个洞,我一量他的身长,我的妈呀!他有 80 米长。最不可思议的是,这条黑蛇一边往洞里爬,尾巴还不断向

后长,他尾巴长的速度是 $\frac{1}{4}$ 天长 $2\frac{3}{4}$ 米。喂,名贵的鳄鱼,你告诉我,这条黑蛇需要多少天才能全部爬进洞里?"

"这个……"鳄鱼显然不会算,他歪头看着小鼹鼠。

小鼹鼠必须帮鳄鱼一把。他说:"我先求出黑蛇爬行的速度和尾巴生长的速度:

黑蛇爬行速度 $= 7\frac{1}{2} \div \frac{5}{14} = \frac{15}{2} \times \frac{14}{5} = 21$(米/天),

尾巴生长速度 $= 2\frac{3}{4} \div \frac{1}{4} = \frac{11}{4} \times 4 = 11$(米/天),

二者的速度差 $= 21 - 11 = 10$(米/天),

全部进洞的时间 $= 80 \div 10 = 8$(天)。

好了,这条黑蛇需 8 天才能全部爬进洞里。"

"嗯?我问的是鳄鱼,怎么你小鼹鼠来回答?"大蟒十分不满。

小鼹鼠小声对鳄鱼说:"你快重复一遍。"

鳄鱼赶紧重复说道:"需要 8 天。"

大蟒说:"8 天爬进多少?要说 8 天全部爬进才对!"说完,大蟒松开了鳄鱼,向树林爬去。大蟒边爬边说:"鳄鱼长得那么蠢,他的肉肯定不好吃。我还是去吃鲜嫩可口的老鼠肉吧!"

鳄鱼松了一口气,说:"谢谢小鼹鼠救了我一条命!"他一回头,小鼹鼠不见了。

小猴子的难题
XIAOHOUZIDENANTI

小鼹鼠钻出地面,来到一片大森林,看见一只小猴子围着一大堆苹果抓耳挠腮,一副犯愁的样子。

小鼹鼠想,有这么多好吃的,小猴子还愁什么呀?他向前爬几步问:"喂,小猴子,是不是苹果太多,吃不了犯难哪?我帮你吃点儿怎么样?"

小猴子不耐烦地说:"人家愁死啦!你还拿人家寻开心!"

小鼹鼠乐于助人,他说:"有什么困难?我来帮你!"

小猴子摇晃着脑袋说:"真是开玩笑!世界上最笨的老鼠想帮助世界上最聪明的猴子,这不叫人笑掉大牙!"

小猴子的冷嘲热讽并没有让小鼹鼠生气。他说:"我想勤于学习的笨老鼠,比不学习的聪明猴子要能干得多!"

"你说话的口气还真不小!我说出来,你解决不了怎么办?"

小鼹鼠说:"你说怎么办就怎么办!"

小猴子嬉皮笑脸地说:"我也不难为你,只在你脑袋上浇一泡猴尿,行吗?"说完小猴子笑得满地打滚儿。

小鼹鼠心里很生气,可是脸上并没表现出来,他说:

"好！我答应,你快说吧！"

"我们一家四口,有猴爸、猴妈、猴姐和我。"小猴子掰着指头边数边说,"今天我们全家摘了100个苹果,猴爸嫌我平日不爱动脑筋,让我分苹果。"

"怎么个分法?"

"猴爸故意刁难我！他让我把100个苹果分成四份。第一份苹果数加上4,第二份苹果数减去4,第三份苹果数乘以4,第四份苹果数除以4,四个得数必须相等。这叫我怎么分呢?"

"像你这样狂的小猴子,就该难一难你！其实这个问题一点儿也不难解决。"

小猴子满脸堆笑地说:"好老鼠,亲老鼠,快帮我把四堆苹果数算出来。不然的话,猴爸该打我屁股啦！"

小鼹鼠一本正经地说:"请不要叫我老鼠,我叫鼹鼠。解决这个问题要使用'倒推法',就是从最后结果往前推,最后结果是四个得数相等。设四个得数同为 x ,第一份苹果数就是 $x - 4$,第二份苹果数是 $x + 4$,第三份苹果数是 $\dfrac{x}{4}$,第四份苹果数是 $4\,x$ 。"

"我明白啦!倒推法就是:原来是加你就减,原来是减你就加,原来是乘你就除,原来是除你就乘。"小猴子说得有点儿像顺口溜。

小鼹鼠边说边写:"这四个数相加等于 100 ,可列出方程式: $(x - 4) + (x + 4) + \dfrac{x}{4} + 4\,x = 100$,

$$\dfrac{25}{4} x = 100 , \qquad x = 16 。$$

所以有

$$16 - 4 = 12(个); 16 + 4 = 20(个);$$
$$\dfrac{16}{4} = 4(个); 4 \times 16 = 64(个)。$$

第三堆最少,是 4 个;第四堆最多,是 64 个。"

突然,小猴子对小鼹鼠说:"猴爸回来了,你赶紧躲一躲。我把这四堆苹果分完。"小鼹鼠"哧溜"钻进土里。

猴爸把四堆苹果数了一遍,高兴地说:"不错,大有长进!我把最多的一堆苹果奖给你。你可不要骄傲啊!"

猴爸这么一夸,小猴子反而不好意思了。他低着头喃喃地说:"其实这不是我算出来的,是小鼹鼠帮我算的。"

猴爸问:"小鼹鼠在哪儿?"

狐狸的诡计
HULIDEGUIJI

小鼹鼠在土中行走，突然听到上面有吵闹声，他钻出地面一看，只见兔子、松鼠、刺猬正围着一大堆草莓在争吵。兔子说："这 110 个草莓是咱们三个采的，可是我采得最多，刺猬采得最少。"

刺猬说："我提个建议：兔子分得的草莓是松鼠的 2 倍，而松鼠比我多分 10 个。"兔子和松鼠同意刺猬的分法，可是怎样分，谁也不会。你说一种分法不成，他说一种分法不对，三只小动物吵得一团糟。

"哈哈……"突然传来一阵怪笑。大家循声望去，只见一只狐狸从密林深处跑了出来。狐狸笑嘻嘻地说："这好办，我来替你们分。假设兔子分得 1 。"

兔子急忙问："怎么，我只分得 1 个草莓？"

狐狸摇摇头说："不，不。我是说把你分得的草莓数当做 1 份，这样才好算。"

松鼠跑过来问："我分多少？"

狐狸说："兔子分得的草莓数是你的 2 倍,兔子得 1,你是 $\frac{1}{2}$ 呀!"

刺猬刚要问,狐狸抢先说:"你比松鼠少 10 个,如果给你增加 10 个,你也恰好分得 $\frac{1}{2}$。"

狐狸在地上边写边说:"我先求出兔子分得的草莓数:

$$(110 + 10) \div (1 + \frac{1}{2} + \frac{1}{2}) = 120 \div 2 = 60 (个)$$

松鼠分得 $60 \times \frac{1}{2} = 30 (个)$,刺猬分得 $30 - 10 = 20 (个)$。"

三只动物分完草莓,发现一点儿也不差,非常感谢狐狸。每只动物拿出 10 个草莓送给狐狸,狐狸取得了他们的信任。小鼹鼠在一旁暗暗点头,这只狐狸还真不错。

过了一会儿,刺猬背回来 1 千克饼,兔子又请狐狸帮忙分一下,答应也分给狐狸一份。

狐狸看了看饼,用舌头舔了一下嘴唇说:"我们一共是 4 个,我少分一点儿吧!先分给我 $\frac{1}{5}$,兔子从我分剩下的饼中分 $\frac{1}{4}$,松鼠从兔子分剩的饼中分 $\frac{1}{4}$,刺猬再从松鼠分剩下的饼中分 $\frac{1}{3}$,最后剩下的一点点给我。这样分怎么样?"大家都觉得狐狸分得最少,就同意了。

狐狸开始分饼:他自己先分 $\frac{1}{5}$,就是 0.2 千克,剩下 $1 - 0.2 = 0.8 (千克)$;

兔子分 $0.8 \times \frac{1}{4} = 0.2$（千克），剩下 $0.8 - 0.2 = 0.6$（千克）；

松鼠分 $0.6 \times \frac{1}{4} = 0.15$（千克），剩下 $0.6 - 0.15 = 0.45$（千克）；

刺猬分 $0.45 \times \frac{1}{3} = 0.15$（千克），剩下 $0.45 - 0.15 = 0.3$（千克）；

狐狸一共分得 $0.2 + 0.3 = 0.5$（千克）。哇！一半的饼被狐狸分走了！

狐狸拿起饼刚想走，被小鼹鼠拦住了。小鼹鼠说："想骗饼吃，没门儿！快把饼放下！"

解救小鸡
JIEJIUXIAOJI

狐狸骗得饼后刚想走,被小鼹鼠拦住了。狐狸笑嘻嘻地说:"我拿走这些饼不是我吃,我去喂小鸡。这些小鸡好可怜哟!从小离开母亲,没吃没喝,一个个饿得皮包骨!"说着挤出几滴眼泪。

兔子问:"你喂养了多少只小鸡呀?"

狐狸眼珠一转说:"我养了三群小鸡。昨天我找来一堆花生,想分给他们吃。如果把这些花生都分给第一群小鸡,每只小鸡可分得 12 粒;如果都分给第二群,每只小鸡可分得 15 粒;如果都分给第三群,每只小鸡可分得 20 粒。我想把这些花生平均分给这三群小鸡,谁能帮我算算,每只小鸡可得几粒花生?你们也就知道我养了多少只小鸡了。"

兔子看看松鼠,松鼠看看刺猬,刺猬看看兔子,谁也不会算。狐狸得意地笑了笑,说:"既然算不出来,我就回家喂小鸡去了。"

"慢走!"小鼹鼠说,"花生数不知道,小鸡数也不知道,不过,你难不住我。由于花生数可被 12,15,20 整

除，因此花生数必然是这三个数的公倍数。最小公倍数是 60 。"

狐狸摇摇头说："你求出 60 又有什么用？"

小鼹鼠没理他，继续算："设花生数为 $60x$ 。

第一群小鸡有 $60x \div 12 = 5x$（只）；

第二群小鸡有 $60x \div 15 = 4x$（只）；

第三群小鸡有 $60x \div 20 = 3x$（只）；

小鸡总数是 $5x + 4x + 3x = 12x$ 。求出每只小鸡分得 $60x \div 12x = 5$（粒）。"

"5 粒。差不多。"狐狸眼珠一翻问，"那么，你说我养了多少只小鸡呢？"

小鼹鼠说："从你说的问题中，不能肯定有多少只，但是，它一定是 12 的倍数，或是 12 只，或是 24 只，或是 36只……"

兔子小声对小鼹鼠说："狐狸说话没谱儿，咱们亲自去看看。"

"看看？好！我带你们去。"狐狸答应得挺痛快。大家跟着狐狸在密林里转了几圈儿，看见三个大木笼子，里面关着许多小鸡。小鼹鼠数了一下，总共 24 只，小鸡长得都挺胖。

小鼹鼠问："可爱的小鸡，狐狸对你们怎么样啊？"

小鸡说："每天给我们好吃好喝的，

就是不让我们出去玩。"

狐狸解释说："不让他们出去，是怕他们跑丢了！"

"不对！"小鼹鼠倒吸一口凉气，他问小鸡，"你们原来就是 24 只吗？"

小鸡异口同声地回答："不是，原来有 36 只，后来每天少 2 只，过了 6 天就剩下 24 只了。"

小鼹鼠揪住狐狸尾巴，厉声问道："那 12 只小鸡哪里去了？"

"这，这……"狐狸卡壳了。

小鼹鼠大声说："狐狸喂养小鸡的目的是供他吃！他一天吃 2 只小鸡，再有 12 天，这些小鸡将被他全部吃光！"

"打死这个坏蛋！""打死坏狐狸！"兔子咬，松鼠掐，刺猬扎，把狐狸打倒在地。小鼹鼠打开木笼子，把小鸡放了出来。

SHIXIANGZHIZHENG

狮象之争

小鼹鼠离开小鸡,钻进土里继续往南行,他走着走着听到地面上有很重的"咚、咚"声。

"这是什么声音?"小鼹鼠好奇地钻出地面。他探出头四处张望,见一只巨大的脚向他走来,吓得小鼹鼠赶紧钻回洞里。等"咚咚"声停止后,小鼹鼠才钻出来。他定睛一看,原来是一群大象,领头的是一只高大、威武、长着一对巨牙的公象,围着象群不断地巡逻,保护着象群的安全。

突然,"嗷"的一声,从草丛中钻出四只狮子,他们瞪着八只眼睛死盯着象群中的一头小象,小象吓得直往母象肚子下钻。公象发怒了,他高高扬起鼻子,吼叫着向狮子冲去。狮子虽号称"兽中之王",但在发怒的大象面前竟也退避三舍。逃的逃,追的追,狮子和大象展开了"游击战"。

想吃掉小象?不成,我要帮助大象击退狮子。怎么办?小鼹鼠在原地左转三圈,右转三圈,有了!小鼹鼠爬上一个土堆,大声叫道:"停战!停战!"

狮子已经斗红了眼，一头公狮恶狠狠地说："为什么要停战？一会儿小象就要被我们分吃掉了，你捣什么乱！"说完就向小鼹鼠扑去，吓得小鼹鼠赶紧往土里钻。转眼间，小鼹鼠又从狮子的背后钻了出来。"我让你们停战，是为你们狮子好。"小鼹鼠沉着地说。

公狮见小鼹鼠来无踪去无影，心想："这小家伙可不简单，也许他说得有道理。"公狮问："你说怎么会是为我们好？说不出道理，我先把你吃了！"

"我问你，你们来了几只狮子？"

"4只呀！"

小鼹鼠点点头又问："一只狮子能对付几只大象？"

狮子说："顶多对付一只。"

小鼹鼠一跺脚厉声问道："你知道这群象有多少只？"

167

狮子摇了摇头。

小鼹鼠瞪大眼睛说："有一次,这群大象外出游玩,走到第一个地方,有 $\frac{1}{3}$ 的大象去游水;走到第二个地方,余下的大象中又有 $\frac{1}{4}$ 去采果;走到第三个地方,余下的大象中有 $\frac{1}{5}$ 去练长跑。领头的公象数了一下,共有 24 只大象出去了。你算算,总共有多少只大象?"

狮子说："我只会扑食,哪里会算术啊!求你帮忙算算。"

"成。"小鼹鼠用前爪在地上边写边说,"可设大象的总数为 1,第一个地方走了 $\frac{1}{3}$ 的大象去游水;

第二个地方走了 $(1 - \frac{1}{3}) \times \frac{1}{4} = \frac{1}{6}$

第三个地方走了 $(1 - \frac{1}{3} - \frac{1}{6}) \times \frac{1}{5} = \frac{1}{10}$

走了的大象占大象总数的 $\frac{1}{3} + \frac{1}{6} + \frac{1}{10} = \frac{3}{5}$;因此,大象总数为 $24 \div \frac{3}{5} = 24 \times \frac{5}{3} = 40$(只)。"

"啊,有 40 只大象呢!咱们 4 只狮子哪里是对手?快跑吧!"说完,4 只狮子落荒而逃。

图书在版编目(CIP)数据

彩图版数学动物园/李毓佩著.—武汉：湖北少年儿童出版社,2009.3
（李毓佩数学故事系列）
ISBN 978-7-5353-4409-0

Ⅰ.彩… Ⅱ.李… Ⅲ数学—少年读物 Ⅳ.01-49

中国版本图书馆CIP数据核字（2009）第028637号

书　　名：数学动物园
主　　编：李毓佩
出版发行：湖北少年儿童出版社
业务电话：027-87679199　027-87679179
网　　址：http://www.hbcp.com.cn
电子邮件：hbcp@vip.sina.com
承 印 厂：武汉福海桑田印务有限责任公司
经　　销：新华书店湖北发行所
印　　数：218 001-226 000
印　　张：5.5
印　　次：2009年3月第1版　2018年7月第17次印刷
规　　格：880×1230mm　1/32
书　　号：ISBN 978-7-5353-4409-0
定　　价：14.80元